Nazzarena Cozzi • Francesco Federico

Caffè Italia

1

Guida per l'insegnante

Caffè Italia 1 - Guida per l'insegnante
di Nazzarena Cozzi, Francesco Federico, Adriana Tancorre

© 2005 – ELI s.r.l.
Casella Postale 6 – Recanati – Italia
Tel. +39/071 750701
Fax. +39/071 977851
E-mail: info@elionline.com
www.elionline.com/caffe-italia

Progetto grafico e copertina: Lorenzo Domizioli, Studio Fridom – Firenze
Illustrazioni: Angelo Maria Ricci
Foto di copertina: Franca Speranza

Stampato in Italia – Tecnostampa Recanati – 05.83.027.0
ISBN 978-88-536-0145-2

Indice

Caffè Italia 1 è il primo di tre livelli di un corso per l'apprendimento dell'italiano come lingua straniera o lingua seconda.

Il corso è stato concepito per un pubblico di adulti o adolescenti che si avvicinano per la prima volta allo studio della lingua italiana con l'obiettivo di sviluppare in modo equilibrato le quattro abilità fondamentali nell'interazione comunicativa (ascoltare, parlare, leggere e scrivere) e di acquisire contemporaneamente una buona competenza grammaticale.

Ogni livello di *Caffè Italia* comprende:
- un libro dello studente con parte degli esercizi, chiamato in questa guida "*manuale*";
- un *libretto complementare* contenente il riepilogo degli obiettivi didattici e dei temi grammaticali e il glossario alfabetico;
- due *audio CD* con tutti i testi di ascolto del manuale;
- una *guida per l'insegnante*.

La guida fornisce:
- indicazioni didattiche generali;
- proposte per giochi e attivazioni;
- attività ed esercizi supplementari;
- idee alternative per le attività di preascolto;
- test di valutazione da utilizzare ogni due unità del manuale;
- soluzioni di esercizi e test.

Caffè Italia 1: il manuale

Il manuale contiene:
- un'introduzione e 10 unità didattiche con i relativi esercizi;
- quattro intervalli con attività ludiche di ripasso;
- una scheda di autovalutazione per lo studente relativa a ogni unità;
- un test di valutazione a metà percorso e uno alla fine;
- le soluzioni degli esercizi e le trascrizioni dei testi audio;
- le sintesi grammaticali e le liste dei vocaboli per ogni unità.

Il manuale è suddiviso in 10 unità didattiche, alle quali si aggiunge la breve unità *Benvenuti!* che propone un primo approccio e un'introduzione al riconoscimento dei suoni della lingua italiana.

Ogni unità didattica è pensata per un lavoro in classe che si aggira intorno alle 8/10 ore di lezione e che viene integrato dal lavoro sugli esercizi relativi e dalle attività ludiche proposte nei quattro intervalli. Complessivamente ogni livello di *Caffè Italia* fornisce quindi materiale per ca. 120 ore.

Ogni unità è suddivisa in sezioni contraddistinte da lettere e ogni sezione può costituire una fase di lavoro in sé compiuta.

L'approccio alla grammatica nelle unità didattiche è di tipo induttivo; in appendice al manuale si trovano le regole e gli schemi grammaticali relativi con esempi e spiegazioni sintetiche.

Nel primo livello di *Caffè Italia* viene dato molto spazio alla lingua parlata. Nella maggioranza dei casi, le diverse sezioni di ogni unità didattica si articolano secondo lo schema seguente: a) preascolto, spesso con il supporto delle immagini del libro; b) presentazione con l'audio CD di un dialogo o più mini dialoghi con compiti di ascolto finalizzati alla *comprensione globale*; c) ascolto ripetuto degli stessi dialoghi con compiti di tipo più *analitico*; d) esercitazioni interattive a coppie o in gruppo finalizzate alla produzione orale e/o scritta. Le attività relative alla pronuncia, ai materiali autentici o semiautentici e ai testi di lettura contenuti nelle ultime due pagine di ogni unità seguono, per la loro specifica natura, uno schema didattico diverso da quello appena illustrato.

Layout e icone

La legenda delle icone e l'illustrazione della funzione didattica delle varie tabelle utilizzate nelle unità si trova nella presentazione del manuale. In questa guida viene utilizzato inoltre questo simbolo ▰▰▰ ▰▶ per contrassegnare il momento più adatto all'inserimento delle attività supplementari (competizioni a gruppi, giochi da tavolo o lavori a coppie) che si propongono qui per l'ampliamento e l'approfondimento dei temi dell'unità.

Linee guida standard

L'approccio metodologico di ogni unità di *Caffè Italia* è caratterizzato da una tipologia standard di attività, illustrate qui di seguito. Nei capitoli successivi, dedicati ai temi e alle attività specifiche di ogni unità, si rimanderà a queste linee guida standard, richiamando il titolo del paragrafo corrispondente.

Temi delle unità

Ogni unità didattica è dedicata ad alcuni aspetti e situazioni della vita quotidiana nei quali si trova normalmente a interagire uno straniero quando viene in Italia: *al bar*, *al ristorante*, *nei negozi*, ecc.

I personaggi della "storia"

Il tema e le funzioni comunicative principali di ogni unità sono trattati anche in uno o più dialoghi che hanno come protagonisti alcuni *personaggi ricorrenti*. Si crea in tal modo una "storia a puntate" che fornisce uno spaccato della vita quotidiana italiana. I protagonisti di queste "microstorie" sono Luca e Carlo, due giovani universitari italiani, e intorno a loro ruotano le figure di amici e parenti.

Oltre a rendere in generale più motivanti le attività, la presenza di personaggi ricorrenti aumenta l'efficacia della tecnica di *ripresa a spirale di lessico e strutture*, adottata in **Caffè Italia** in modo sistematico. Infatti, quando a distanza di qualche unità si riprende un tema approfondendolo, come per esempio nel caso del tema "famiglia e familiari" (dall'unità 5 c'è un rimando ideale alla 6 con l'incontro con i cugini e alla 8 con la visita ai nonni), l'espediente narrativo che riprende personaggi già noti stimola e facilita quel meccanismo psicologico per cui, incontrando in un nuovo contesto parole e espressioni già viste, si è particolarmente predisposti a memorizzarle e ad acquisire in aggiunta nuovi elementi linguistici ad esse correlati.

La tecnica del rimando a cose già viste viene utilizzata nel manuale anche a prescindere dal richiamo ai personaggi della storia, ad es. le parole con cui si sono presentati gli articoli indeterminativi nell'Unità 1 a pag. 15 vengono fatte riutilizzare a pag. 19 per l'attivazione degli articoli determinativi.

Come si procede alla formazione delle coppie di dialogo

Molte delle attività proposte si eseguono con la classe divisa in coppie.

Quando è la prima volta che dividete la vostra classe in coppie, dovrete necessariamente affidarvi al caso. Ma già dalla seconda volta che adotterete questo metodo di lavoro in classe, tentate di abbinare studenti con abilità linguistiche complementari, per esempio uno con maggiore competenza lessicale con uno che invece ha una competenza grammaticale più spiccata; valutate anche i diversi gradi di spigliatezza ed evitate quindi di formare coppie di persone molto più rapide o più comunicative rispetto alla media della classe, ma separate due persone di questo tipo per metterle in coppia con persone meno comunicative.

Lavorando con studenti di diverse nazionalità, evitate, se possibile, di formare di coppie di asiatici contrapposte a coppie di europei; formate coppie spiccatamente "interculturali", un giapponese e un tedesco ad esempio.

L'immagine

Ogni unità si apre con una grande immagine o con diverse immagini che occupano i tre quarti della prima pagina. Questo punto fisso nel primo volume di *Caffè Italia* serve a stimolare al massimo le capacità di *predizione ed evocazione* di contenuti comunicativi da associare a un certo contesto situazionale. Inoltre può servire a introdurre l'osservazione di gesti, atteggiamenti e comportamenti tipici della cultura italiana.

In generale l'impulso visivo servirà a compensare per quanto più possibile l'assenza del contesto extralinguistico nell'ascolto che seguirà.

Come usare l'immagine?
Attività di preascolto con l'immagine

Per prima cosa occorre passare un po' di tempo osservando insieme l'immagine. Una volta che tutti gli studenti hanno il libro aperto alla pagina giusta, chiedete loro quante persone ci sono nell'immagine, aspettate le risposte spontanee e poi fate altre domande, formulate nel modo più semplice, ad es. *Sono uomini o donne? Giovani o vecchi?*

Scrivete alla lavagna le parole che non sono note a tutta la classe, indicando sull'immagine del vostro libro a chi o a che cosa si riferiscono.

In seguito potete introdurre una alla volta le consegne del manuale, ad es. dall'Unità 1, A1: *Dove sono?* Se gli studenti non capiscono, fate domande a cui rispondere con "sì" o "no": *Al ristorante? A teatro? A Milano? A scuola?* Spiegate il lessico nuovo e scrivete di volta in volta le parole alla lavagna.

Infine dividete la classe a coppie o a piccoli gruppi e fateli lavorare sull'ultima e più importante consegna del manuale, ad es. dall'Unità 1, A1: *Che cosa dicono? Fate delle ipotesi.*

Verificate poi con tutta la classe le ipotesi fatte, dando le spiegazioni richieste.

In ogni fase tutti devono comprendere le parole emerse dal *brainstorming* iniziale. Si passerà poi all'attività di ascolto.

Non dimenticate di gratificare proprio chi usa, nello svolgimento di queste attività iniziali, le parole più comuni e semplici anche suggerendole voi stessi, in modo da favorire la partecipazione senza complicare il lavoro.

Strategie d'ascolto

I compiti delle attività di ascolto vanno dalla comprensione globale della situazione e dell'intenzione comunicativa, ad es. *Che cosa vuole fare… / Che cosa vuole ottenere… / Che cosa vuole esprimere chi parla?*, alla discriminazione di stringhe di linguaggio nuove o contenenti lessico e strutture nuove. È consigliabile creare un'aspettativa particolare prima dell'ascolto. L'uso dell'immagine è sufficiente quando la conoscenza lessicale è ridotta, ma già con un'esigua capacità di espressione si possono chiedere informazioni ed esperienze personali sull'argomento che si andrà a trattare, anticipando il lessico usato nei dialoghi.

Creare l'aspettativa rispetto all'ascolto che segue contribuisce a:

- stimolare un ascolto attivo e partecipe di frasi che contengono elementi linguistici nuovi;
- far esprimere in conversazione parole o frasi che poi si sentiranno nei dialoghi;
- preparare a individuare durante l'ascolto gli elementi nuovi nel flusso del parlato.

Tipologia dei testi di ascolto

Prendendo spunto da alcune riflessioni sulla didattica delle lingue legate all'approccio lessicale, si è cercato di dare il massimo rilievo al fatto che le parole nuove devono essere percepite nel flusso del parlato e quindi sempre collocate in stringhe delimitate dalle pause naturali della pronuncia corrente. Si è quindi ritenuto opportuno guidare gli studenti all'osservazione e alla scoperta di combinazioni o "stringhe" di parole piuttosto che di singoli vocaboli isolati. Proprio per favorire l'esposizione massima alle parole collocate nel loro contesto di uso si è utilizzata molto – per il primo livello del corso – l'attività di ascolto di testi orali. La lingua dei testi di ascolto è forzatamente "creata a tavolino" ma ci si è impegnati a scegliere sempre le espressioni più "probabili" in un dato contesto, accettando di introdurre qua e là anche espressioni che appartengono a temi lessicali o a strutture previste più tardi dal sillabo. Riteniamo infatti necessario che nella fase iniziale dell'apprendimento si offra agli studenti la possibilità di recepire molto più materiale linguistico di quello che si chiede loro di riutilizzare subito anche attivamente.

La maggior parte dei testi di ascolto del primo livello di **Caffè Italia** è in forma di dialogo, anche se sono presenti anche alcuni monologhi, vari tipi di annunci (*in stazione, previsioni del tempo, pubblicità*) e due esempi di lettura ad alta voce di testi scritti.

I testi dei dialoghi contengono in generale tre livelli linguististici:

1) stringhe di parole già note;

2) parole e espressioni nuove sulle quali si vuole focalizzare l'attenzione anche per la pratica attiva;

3) *espressioni idiomatiche* (nuove o già presenti in dialoghi precedenti) che non devono immediatamente entrare a fare parte dell'uso attivo degli studenti ma sono piuttosto volte ad arricchire la loro conoscenza passiva.

Le *espressioni idiomatiche* sono state scelte in base al loro alto grado di probabilità di essere usate dagli italiani nella corrispondente situazione comunicativa reale e sono da trattare alla stregua di un repertorio lessicale che a poco a poco si deposita e rafforza la competenza generale degli studenti. In ogni unità del manuale si trova almeno una tabella dedicata alle espressioni o strutture idiomatiche con l'invito esplicito a trovare una corrispondenza nella lingua madre degli studenti. Naturalmente il lavoro di analisi contrastiva potrà essere approfondito in classe soprattutto con gruppi monolingui e nel caso che l'insegnante lo ritenga opportuno, ma anche nel caso in cui l'insegnante decida di non approfondire questo aspetto non si perde il valore principale delle espressioni idiomatiche ascoltate nei dialoghi.

Mini dialoghi

La forma breve del dialogo permette di rendere naturale l'approccio comunicativo pur con una ristretta scelta lessicale. Lo studente dapprima attiverà il riconoscimento dei suoni, poi li inserirà in stringhe da completare, e infine troverà le espressioni per comunicare autonomamente in una situazione interattiva breve e diretta.

Dialoghi lunghi

I mini dialoghi vengono utilizzati prevalentemente nelle prime fasi di ogni unità, successivamente si propone una struttura dialogica più completa e adatta all'analisi delle strutture della lingua. In ogni caso è evidente che non si richiede mai una comprensione integrale del dialogo ascoltato, ma si deve sempre guidare alla *comprensione selettiva*. Anche in questo caso è importante chiarire bene agli studenti, prima dell'attività di ascolto, qual è il compito, ovvero quale deve essere l'obiettivo durante l'ascolto: leggete insieme le domande di comprensione laddove ci siano oppure orientate voi l'attenzione al reperimento di qualche informazione precisa.

Quando si devono abbinare immagini e mini dialoghi

Fate ascoltare una prima volta tutti i mini dialoghi agli studenti. Formate delle coppie e lasciate due o tre minuti per svolgere l'attività di associazione alle immagini. Procedete ad un secondo ascolto e formate coppie diverse, in modo che ci sia la possibilità di uno scambio di opinioni differenti e un arricchimento d'informazioni. Passate ad un terzo ascolto, lasciate ancora un momento perché gli studenti confermino le loro ipotesi e passate ad un confronto generale all'interno della classe.

Quando si devono individuare singole parole

Spiegate alla classe che il compito di ascolto sarà quello di individuare i suoni che sentiranno e in questa fase non sarà necessario capire tutto. Sicuramente alcuni studenti riconosceranno anche il significato di qualche parola, ma rimandate le spiegazioni a un momento successivo.

Ripetete la consegna prima dell'ascolto, ad es. dall'Unità 1, A3: *Quali parole sentite?*

Procedete con l'ascolto. Durante l'ascolto ogni studente segnerà le parole individuate. Finito l'ascolto mettete gli studenti a coppie in modo che possano confrontare i propri risultati. Durante questa fase girate per la classe, incoraggiate e gratificate gli studenti per le risposte corrette e chiarite eventuali dubbi, ma solo riferiti all'attività in corso.

Se la classe è disponibile procedete a un altro ascolto di verifica. Infine date le risposte corrette.

Attività di vero o falso

Notate che nel manuale non si usano i termini "vero" / "falso", ma si preferisce la formulazione più diretta di domande a cui rispondere con "*sì*" o "*no*". Avvertite gli studenti che ascolteranno un dialogo dove i protagonisti parlano in modo naturale e quindi, a volte, abbastanza veloce. Esortateli a non spaventarsi se ad un primo ascolto capiranno pochissimo o quasi nulla. Invitateli semplicemente a concentrarsi sul numero di persone presenti nel dialogo, sulla loro probabile età, sulla relazione che potrebbe intercorrere tra loro. In questa prima fase il manuale deve essere chiuso. Procedete all'ascolto e alla fine formate delle coppie che si scambieranno delle informazioni. Procedete peraltro come in *Quando si deve abbinare l'immagine al dialogo* e, alla fine del terzo ascolto, fate aprire il libro, guardate insieme le domande di comprensione, assicuratevi che ciò che viene chiesto sia chiaro. Formate poi nuove coppie e fate svolgere l'attività.

Mettiamo a fuoco

Nella maggioranza dei casi le fasi di lavoro sui testi di ascolto si concludono con un'attività di *messa a fuoco* che rappresenta il momento di raccolta e sintesi degli elementi linguistici nuovi. Gli studenti assumono un ruolo attivo e centrale nella scoperta della lingua, comprendendo e organizzando autonomamente il lessico e le strutture da imparare.

Le tabelle

Lo strumento di lavoro preferenziale per l'attività di *messa a fuoco* è costituito dalle "tabelle" che rappresentano un elemento grafico ricorrente e favoriscono lo sviluppo della conoscenza induttiva, a partire dagli stimoli proposti nei dialoghi e nei testi.

È preferibile far completare le tabelle facendo lavorare gli studenti a coppie e dando loro un tempo che varia dai 2 ai 5 minuti. Le tabelle sono di due tipi: ci sono da una parte quelle delle *Intenzioni comunicative* che guidano a raccogliere le frasi utili per comunicare e dall'altra quelle della *Grammatica attiva*. Dopo l'ascolto gli studenti raccolgono nella tabella delle *Intenzioni comunicative* tutte le possibili espressioni da usare nel contesto comunicativo proposto (*al bar, in biglietteria*, ecc.): un *brainstorming*. L'insegnante può aiutare ad aggiungere a quelle del libro altre frasi pertinenti al contesto dell'attività che gli studenti conoscono già o che desiderano particolarmente imparare.

L'obiettivo non è quello di fare una ricerca esaustiva sul tema né di redigere liste di locuzioni, quanto quello di organizzare conoscenze ed esigenze comunicative nel modo più immediato possibile. L'insegnante interviene solo per dare il modello di pronuncia o l'ortografia corretta della frase.

Naturalmente il compito non sarà quello di imparare a memoria meccanicamente le espressioni raccolte, ma di cercare e usare i vocaboli che veramente rispondono al bisogno comunicativo individuale.

La tabella della *Grammatica attiva* serve alla ricerca e all'organizzazione delle strutture della lingua: gli studenti, a coppie o in gruppo, sempre attivando riflessioni induttive, ricostruiscono la struttura della lingua che hanno già incontrato nel dialogo o nel testo.

Ora tocca a voi!

In conclusione, dopo aver compiuto il processo che va dalla comprensione globale all'analisi dei testi di ascolto, gli studenti vengono stimolati dalle attività che compaiono sotto questo nome e hanno l'occasione di mettere in pratica subito ciò che hanno appreso per esprimere in modo autonomo qualcosa che li riguarda personalmente.

Giochi a squadre

Dividete la classe in due squadre o più se il numero degli studenti nella classe è superiore a 12. Fate eseguire un compito a uno studente per squadra alternando le squadre. Ogni consegna ben eseguita fa guadagnare un punto. Vincerà chi alla fine totalizzerà più punti.

Scambio di idee

A partire dall'unità 5 fino all'unità 10 compresa, si trova in ogni unità un'attività di riepilogo dei temi trattati nelle sezioni contrassegnate da lettere, chiamata *Scambio di idee*. È uno spazio in cui gli studenti vengono invitati a scambiarsi idee e opinioni su un tema attinente agli argomenti trattati nell'unità. Si offre così la possibilità di riprendere il lessico e le strutture grammaticali. Fate eseguire questa attività in due fasi: prima a piccoli gruppi e poi, successivamente, in plenum.

Pronuncia

La comprensione della lingua deve passare necessariamente attraverso la familiarizzazione con i suoni dell'italiano, continuamente proposta in forma passiva con i dialoghi e, in forma attiva, con gli esercizi di riconoscimento e di produzione dei suoni.
Più che richiedere una perfezione dell'espressione, si vogliono proporre stimoli sonori per favorire l'avvicinamento ludico alla pronuncia della lingua italiana.

L'angolo del materiale autentico o quasi autentico

Alla fine di ogni unità vengono presentati materiali autentici – o leggermente riadattati a partire dagli autentici – come ritagli di giornale, ricevute, biglietti, messaggi pubblicitari. Su questi materiali è costruita una brevissima attività che verifica la comprensione mirata di alcune informazioni in essi contenute. Non chiedete agli studenti la comprensione completa di questi testi, orientate dapprima la loro attenzione alla *comprensione dell'argomento proposto*, facendo domande semplici come ad es. *Che cos'è?*, *A che cosa serve?*, *Che informazioni dà?* In una fase successiva spiegate, molto chiaramente qual è il compito dell'attività suggerita nella consegna: si tratta di solito di consegne molto semplici, che chiedono di reperire nei testi dei materiali presentati alcune informazioni pratiche precise, oppure di valutare in base a un giudizio personale chi possono essere i destinatari dei messaggi. Se uno studente chiede *spiegazioni sul lessico* rispondete approfonditamente, ma ritenetevi comunque soddisfatti della comprensione generale e non date spiegazioni non richieste.
Per rassicurare gli studenti è importante ripetere spesso che, per uno straniero, avvicinarsi a materiali destinati a persone di madrelingua è sempre complesso, ma se si orienta l'attenzione alla comprensione generale può essere anche molto divertente, oltre che molto utile.

Italia Oggi

L'ultima pagina di ogni unità propone testi di tipo informativo su argomenti di cultura e civiltà italiana, nei quali si è dato spazio a dati oggettivi e fenomeni di attualità piuttosto che a stereotipi culturali. L'approccio a questi testi di lettura vuole essere semplice e interattivo: in generale viene proposta un'attività di prelettura e poi una di reperimento di informazioni nel testo, qualche volta viene fornito anche uno stimolo alla discussione e allo scambio di idee sul tema e alla riflessione interculturale. Come i testi dei materiali autentici, anche quelli di *Italia Oggi* contengono un repertorio lessicale meno controllato di quanto non sia quello delle altre sezioni dell'unità, perché hanno l'obiettivo di stimolare l'interesse per i contenuti e per l'autenticità del linguaggio, piuttosto che per l'analisi dettagliata del testo. Anche qui è bene spiegare chiaramente agli studenti che possono ritenersi soddisfatti di raggiungere una comprensione globale dell'argomento e di saper svolgere i compiti proposti nelle attività anche senza comprendere tutte le parole del testo. L'insegnante risponde a eventuali domande sui vocaboli che gli studenti ritengono indispensabili alla comprensione generale, senza sollecitare la ricerca di tutte le parole "nuove o difficili" del testo.

Esercizi

Gli esercizi sono pensati per rafforzare in un contesto interattivo le strutture e il lessico appreso. Lettere da completare, dialoghi da riordinare, frasi da sistemare: tutto questo è materiale linguistico facilmente spendibile in situazioni quotidiane. La dimensione ludica tende a permeare continuamente l'intento didattico anche negli esercizi.

Schede di autovalutazione

Le schede di autovalutazione si trovano nell'ultima pagina della sezione degli esercizi che corrisponde a ogni unità. Sono uno strumento indispensabile per fissare i temi appresi e forniscono agli studenti griglie e domande guida che lo aiutano a sintetizzare e rendersi conto gradualmente del proprio processo di apprendimento.
Inoltre, le schede possono rappresentare un pratico strumento da utilizzare periodicamente per fare un bilancio delle conoscenze pregresse.

Caffè Italia 1: Guida per l'insegnante

La guida è parte integrante del manuale, nel senso che non illustra unicamente le attività del manuale, ma lo arricchisce con proposte di variazioni e ampliamenti che completano il percorso didattico. Contiene giochi, spunti per il dialogo in classe, esercizi complementari, eventuali alternative. Ogni attività ha la relativa spiegazione, elaborata nei minimi dettagli. Ogni spiegazione ha una struttura che agevola la consultazione, dando gli obiettivi generali delle singole sezioni, la descrizione dell'attività, i tempi di attuazione e il procedimento dell'intervento didattico. Si valorizza soprattutto il tempo in cui gli studenti partecipano attivamente parlando e mettendo in pratica tutto quello che sanno già dire in italiano e la loro capacità di assumere un ruolo attivo nella scoperta delle caratteristiche strutturali ed espressive della lingua italiana. Ampio spazio è dato anche all'opportunità di ripetere più volte le strutture e i vocaboli appresi in contesti sempre diversi, per esempio nei giochi di gruppo. Oltre all'attuazione pratica delle varie sezioni, si suggeriscono anche le strategie per le attività di verifica che devono sembrare spontanee, ma allo stesso tempo non devono degenerare nella casualità o nell'improvvisazione, né essere ancorate a passaggi rigidi.

Giochi e attività supplementari

███████ ▶ : le proposte contrassegnate nei capitoli seguenti da questa icona integrano le attività presenti nel manuale, con l'obiettivo di far utilizzare e rafforzare, o anche di ampliare, il lessico e le strutture della lingua introdotte fino a quel momento. Per facilitare la preparazione di giochi e attività si fornisce, per quanto possibile, il materiale didattico che serve alla loro realizzazione in schede fotocopiabili collocate alla fine di ogni singolo capitolo. Gli *spunti di dialogo* sono stimoli ulteriori che servo-no per ampliare e rafforzare i temi delle unità con la produzione orale a coppie o a gruppi, riproponendo quel valore primario che diamo al dialogo e alla produzione orale spontanea in situazioni interattive verosimili e divertenti.

A seconda del tipo di studenti nella classe e del loro ritmo di apprendimento il materiale didattico può essere variato e integrato: conoscendo la pratica dell'insegnamento si propongono pertanto nella guida, *esercizi supplementari* e, laddove necessario, *alternative alle presentazioni del tema*.

Test di valutazione nella guida

Ogni due unità si propongono due *test di valutazione*: uno di *comunicazione e lessico*, l'altro di *strutture* della lingua. Questi test inseriscono gli argomenti trattati in semplici esercitazioni ed elaborazioni scritte. Il test è uno strumento più utile allo studente che all'insegnante: lo studente ha spesso bisogno di rendersi conto con quanta chiarezza abbia appreso i temi proposti, se debba ripetere o chiedere eventuali spiegazioni ulteriori. I test di valutazione sono stati inseriti ogni due unità, per lasciare il tempo allo studente di incontrare una certa quantità di strumenti linguistici e grammaticali, prima di procedere al controllo di ciò che si è appreso e capito.

Pronuncia: attività supplementari

Per chi giudica opportuno dedicare più spazio alle attività sulla pronuncia, nella parte finale della guida si trova una sezione con varie proposte di esercizi supplementari, mirati a sviluppare la capacità di discriminazione e la consapevolezza sul modo di articolare i suoni dell'italiano.

Obiettivo dell'unità di benvenuto: in quest'unità si cerca semplicemente di attivare le conoscenze pregresse dello studente e di far prendere confidenza con alcuni suoni tipici dell'italiano. Soprattutto si vuole stimolare l'abilità ricettiva (la discriminazione dei suoni e l'associazione al grafema), focalizzando particolarmente l'associazione suono / grafema per *ci/ce/cia/cio/ciu* e *ca/co/cu/che/chi*.

Attività introduttiva: Conoscete l'Italia?

Descrizione: attività di preascolto, in plenum. Si attiva insieme al gruppo una ricerca di parole italiane conosciute: per esempio marche relative al mondo della moda, nomi di prodotti, di città e di monumenti italiani.
La finalità è focalizzare l'attenzione sull'immagine acustica dell'italiano, musicale ecc. e può essere una preattività all'ascolto successivo.

Tempo: circa 15 minuti.

Procedimento: per attivare l'ascolto in modo rilassato, attuate la fase di introduzione all'ascolto a libro chiuso.
Nominate alcuni oggetti o luoghi tipici dell'Italia. Poi chiedete agli studenti di continuare. Invitate i partecipanti a dire i nomi o le parole che conoscono. Potete stimolare la loro partecipazione dicendo parole molto conosciute e scrivendo alla lavagna i nomi detti. Oppure semplicemente cominciate con una frase di stimolo, accompagnata da gestualità adeguata: *Lei parla italiano? No? Poco? Spaghetti? Espresso?*
Stimolate ogni partecipante a dire qualcosa. Si tratta di una prima attivazione che non prevede il soffermarsi sull'osservazione della pronuncia corretta. Limitatevi a ripetere confermando la parola o l'espressione sentita. Le espressioni vengono raccolte oralmente e non ci si sofferma sul loro significato.
Potete dividere l'attività in due fasi. Dapprima stimolate l'espressione di nomi propri di persona e di città in forma di brainstorming. L'attività può essere fatta come competizione a gruppi: chi dice più parole vince. Quindi potete fare anche una seconda fase accettando anche parole, espressioni, frasi e immagini acustiche che i partecipanti hanno già dell'italiano.
Una volta sentite a sufficienza le frasi e le parole dette dai partecipanti, si inizia l'attività 1 proposta dal libro.

⌂ 1.2/1.3 **Pag. 9, Attività 1 - 2: Conoscete queste parole? Conoscete queste persone e queste cose?**

Descrizione: 2 attività di ascolto. Riconoscimento del suono e abbinamento del suono all'immagine relativa.
Preascolto a gruppi e attività di ascolto a coppie.

Tempo: circa 20 minuti.

Procedimento: prima di procedere all'ascolto spiegate che non è necessario dover capire tutte le parole, in modo da avvicinare lo studente alla comprensione della lingua parlata. L'ascolto dell'attività 1 è un semplice esercizio di riconoscimento di parole che gli studenti potrebbero conoscere. Subito dopo l'attività 1 procedete al secondo ascolto.
A libro aperto, invitate i partecipanti a osservare le immagini. *Per te/voi cos'è l'Italia?* Se possibile fate esprimere loro cosa rappresenta meglio l'Italia secondo la loro opinione e cosa manca dalla rappresentazione della pagina.
L'esercizio consiste nell'ascolto di parole e nomi propri da associare – semplicemente indicandole con un dito – alle immagini sulla pagina.
L'attività si svolge abbastanza velocemente, la pausa di circa 5 secondi tra una parola e l'altra dell'audio dovrebbe bastare. Se non si sono trovate tutte le associazioni, ripetete l'audio e i partecipanti dicono «stop» quando non capiscono.
Infine orientate l'attenzione sul suono, quando dovete ripetere – senza esagerare – le parole in modo lento e il più musicale possibile con l'intento di tenere sempre attiva la curiosità per le sonorità tipiche della lingua.

Ampliamento dell'attività: se lo ritenete opportuno (partecipanti molto portati all'oralità) potete fare un esercizio di "ascolta e ripeti".

Vedi **Benvenuti** **+1** **Parole italiane**

⌂ 1.3 **Pag. 10, Attività 3, Le parole**

Descrizione: lettura sul libro delle parole già sentite nell'attività 1, a coppie e poi in plenum.
L'input di tante parole è motivato sulla base della portata culturale della scelta di espressioni. Insomma si attinge a conoscenze pregresse per introdurre gli studenti all'articolazione dei suoni dell'italiano, senza volere esplicitare le regole per il momento.

Tempo: 20 minuti circa.

Procedimento: fate ascoltare le espressioni per poi farle leggere e ripetere. Si vuole dare la possibilità di leggere e provare ad articolare la pronuncia delle parole ascoltate precedentemente, senza soffermarsi troppo né sull'aspetto pronuncia / grafia né sulle caratteristiche morfologiche di articoli, preposizioni ecc.

🎧 1.4/1.5 **Pag. 10, Attività 4 - 5: Che cosa sentite? E ora le altre parole**

Descrizione: si vuole attivare la capacità di discriminazione e sensibilizzare alla pronuncia "dolce" di "ci / cia ... ge / gia". Il tema verrà ripreso e sistematizzato nell'unità 1. Se il gruppo è particolarmente disponibile all'osservazione metalinguistica, potrete fare dedurre la "regola" per i suoni con "g" e "c".

Tempo: 20 minuti circa.

Procedimento: spiegate agli studenti che sentiranno alcune parole in italiano, delle quali alcune sono presenti in questa attività e sono da individuare, mentre altre le troveranno in attività successive. È sempre necessario spiegare prima dell'ascolto la consegna. Poi formate le coppie e gli studenti guardano insieme le parole scritte nel libro mentre voi iniziate l'ascolto.
Per confrontare i risultati procedete ad un secondo ascolto e quindi verificate i risultati.
Il secondo ascolto è finalizzato alla ripetizione delle parole sentite.
Per motivare l'ascolto potete dare conferme un po' enfatizzate, quando vi sembra che ripetano meglio (o in modo più corale, o in modo più musicale).

Vedi **Benvenuti +2** **Disegniamo l'Italia**

🎧 1.6 **Pag. 10, Attività 6, Presentazioni**

Descrizione: attività di ascolto focalizzata sulle espressioni di base per presentarsi.

Tempo: 15 minuti circa.

Procedimento: fate ascoltare le espressioni per poi farle leggere e ripetere. Chiedete agli studenti, dopo l'ascolto, di utilizzare le espressioni ascoltate e lette per presentarsi agli altri studenti. Per rendere più dinamica l'attività fateli alzare e girare per la classe.

Pag. 11, Gioco, Inizia con la lettera...

Descrizione: gioco di attivazione con le lettere dell'alfabeto che avrete fatto precedentemente ascoltare. È un'attività da svolgersi in plenum, ma i partecipanti lavorano a coppie o gruppetti. È necessario avere una clessidra, singole lettere dell'alfabeto in un sacchettino, per fare tirare a sorte di volta in volta la lettera del gioco.

Si vuole riutilizzare le molte parole attivate, familiarizzare con l'alfabeto e intensificare la produzione orale anche nelle prime ore di corso, rafforzare il sentimento di conoscenza pregressa di molte parole italiane.
Espressioni che si possono eventualmente già introdurre in italiano: *lettera troppo difficile, giusto / sbagliato ...; non capisco.*

Tempo: 30 minuti circa.

Procedimento: si tira a sorte una lettera, i partecipanti devono scrivere una parola che inizia con quella lettera per ogni categoria, in un tempo prestabilito (esempio 1 minuto). Ogni parola trovata è un punto. Un turno di gioco è composto di 5 lettere.

Vedi **Benvenuti +3** **Animali dalla A allo Zoo**

Vedi **Benvenuti +4** **Città italiane**

Info: di seguito trovate alcune informazioni sui monumenti e sui personaggi che compaiono nelle pagine dell'unità *Benvenuti!* Possono servire a soddisfare qualche curiosità degli studenti, pur senza dare spazio ad approfondimenti troppo lunghi e dettagliati.
- *Colosseo:* l'Anfiteatro Flavio, da tutti conosciuto come il *Colosseo*, è una gigantesca costruzione a pianta ellittica, alta 48 metri. Non si conosce il nome del geniale costruttore, forse Rabirio, l'architetto di Domiziano, o un certo Gaudenzio. Voluto dall'imperatore Vespasiano per celebrare la grandiosità dell'Impero, fu inaugurato dall'imperatore Tito nell'80 d.C.; link: http://www.museidiroma.com
- *Torre di Pisa*: la Torre di Pisa è il campanile del Duomo. La costruzione iniziò nell'agosto del 1173 e proseguì (con due lunghe interruzioni) per circa duecento anni, con piena fedeltà al progetto originario, il cui autore non è noto con certezza. In passato molti credettero che la pendenza della Torre fosse parte intenzionale del progetto, ma ora sappiamo che non è così. La Torre fu progettata "diritta" (e anche se non pendesse sarebbe uno dei più notevoli campanili in Europa), e cominciò a inclinarsi durante la costruzione. Link: http://torre.duomo.pisa.it
- *Mosè*: la statua scolpita da Michelangelo Buonarroti (Caprese / AR 1474 – Roma 1564) è da sempre il simbolo della tomba di Papa Giulio II e sicuramente rappresenta il maggiore motivo di attrazione per i visitatori della chiesa di San Pietro in Vincoli a Roma. La sua collocazione originaria era al piano superiore della chiesa, ma successivamente Michelangelo decise di spostarla nella sua attuale posizione per poterla apprezzare meglio. Link: www.progettomose.it

- *Firenze, Santa Maria del Fiore*: è la Cattedrale di Firenze, sovrastata dall'imponente Cupola che Filippo Brunelleschi progettò e fece costruire tra il 1420 e il 1434, utilizzando un sistema di enorme portata innovativa che permetteva di fabbricare due volte costruite senza armature. Il diametro della Cupola è di 45,50 metri e l'altezza è il doppio.

- *Roberto Benigni*: il famoso comico, attore e regista è nato in provincia di Arezzo nel 1952. Nel 1999 ha vinto l'Oscar per il miglio film straniero con *La vita è bella*, racconto dolce-amaro ambientato negli anni della Seconda Guerra Mondiale che tratta in modo originale e mai cruento il grande dramma dell'olocausto.

- *Gianna Nannini*: cantante rock, nata a Siena nel 1956. Nel 2004 è uscito il suo ultimo album "Perle". Link: www.giannanannini.com

- *Luciano Pavarotti*: tenore, nato a Modena nel 1935, ha recentemente festeggiato i quarant'anni di carriera musicale. Link: www.lucianopavarotti.com

- *Francesco Totti*: nato a Roma nel 1976, è un popolarissimo calciatore della Roma.
Dal sito www.francescototti.com: "Il suo impegno nel sociale e soprattutto nei confronti dell'infanzia disagiata ha spinto il Comitato Italiano dell'Unicef e Francesco Totti a incontrarsi nel maggio 2002. Da marzo 2003 Francesco Totti è orgogliosissimo Good Will Ambassador dell'Unicef e le sue iniziative a favore dei bambini si sono susseguite costanti e ricche di successo. La più conosciuta è sicuramente il Libro delle Barzellette, i cui proventi sono stati devoluti anche a favore degli anziani del Comune di Roma."

- *La Dolce Vita*: film, 1959. Regista: Federico Fellini, interpreti principali: Marcello Mastroianni (Marcello) e Anita Ekberg (Sylvia).

Attività supplementari

Benvenuti **+1** Parole italiane

Quando: dopo il punto 2.

Obiettivo didattico: attivazione delle conoscenze pregresse degli studenti.

Partecipanti: in plenum.

Tempo: circa 10 minuti.

Materiale: 1 foglio di formato A4 bianco per ogni ripetizione del gioco.

Preparazione: disponete in circolo gli studenti e consegnate a uno di loro il foglio.

Obiettivo del gioco: ogni studente, al suo turno, scrive sul foglio una parola italiana. Vince lo studente che riesce a scrivere sempre una parola al suo turno.

Svolgimento: spiegate il gioco facendo un giro di prova (cfr. esempio). Il primo studente scrive una parola italiana da lui conosciuta in un tempo limite di 30 secondi. Se nel tempo prestabilito non riesce è eliminato e il foglio passa allo studente alla sua destra.

Esempio: primo studente scrive: *spaghetti* – secondo studente: *caffè* – terzo studente: *passa*.

Nota: è importante che alla fine del gioco l'insegnante prenda la lista di parole, la scriva sulla lavagna e, dandone la giusta pronuncia, ne spieghi il significato e mostri la corretta ortografia.

Benvenuti **+2** Disegniamo l'Italia

Quando: dopo il punto 5.

Obiettivo didattico: esercitazione sulle conoscenze pregresse degli studenti. Primo approccio al lavoro di gruppo.

Partecipanti: 2 gruppi.

Tempo: circa 20 minuti.

Materiale: 2 fogli di formato A4 bianchi.

Preparazione: dividete la classe in due gruppi e distribuite 1 foglio per gruppo.

Obiettivo del gioco: ogni gruppo deve indovinare cosa rappresentano i disegni del gruppo avversario.

Svolgimento: spiegate il gioco utilizzando la lavagna. Disegnate qualcosa di famoso che rappresenta l'Italia (cfr. esempio) e chiedete agli studenti di indovinare che cosa avete disegnato. Dite agli studenti che devono disegnare, sul foglio ricevuto, 4 disegni di qualcosa di molto famoso che rappresenta l'Italia.

Esempio: *un piatto di spaghetti, una tazzina di caffè, formaggio, la pizza.*

Nota: il gioco potrebbe spaventare gli studenti che non si credono in grado di disegnare. Spiegate loro che non è importante la perfezione del disegno.

Benvenuti **+3** **Animali dalla A allo Zoo**

Quando: dopo il punto 7.

Obiettivo didattico: esercitazione sull'alfabeto

Partecipanti: a coppie.

Tempo: circa 5 minuti.

Materiale: una copia di pagina 14 ogni due studenti, con carte da ritagliare, mescolare e mettere in una busta.

Preparazione: dividete gli studenti a coppie e distribuite per ogni coppia un set di carte che avete messo in una busta chiusa. Scrivete sulla lavagna le prime tre lettere dell'alfabeto per dare loro la progressione.

Obiettivo del gioco: mettere in ordine alfabetico i nomi degli animali e inserire nella giusta posizione le lettere che non rappresentano animali.

Svolgimento: dite agli studenti che nella busta ci sono tanti animali e che al via hanno 2 minuti per aprire la busta e mettere in ordine alfabetico gli animali. Dite, inoltre, che tra le schede mancano alcune lettere (H, J, K, N, Q, U, W, X, Y). Potrete chiedere in seguito quali sono le lettere mancanti per completare l'alfabeto.
Esempio: *Asino, Bue, Cane…*

Nota: è possibile chiedere agli studenti, a fine attività, quali sono gli animali intrusi, cioè che in genere non si vedono allo zoo (asino, bue, cane, gatto, maiale, pecora, tacchino, vitello).

Benvenuti **+4** **Città italiane**

Quando: dopo il punto 7.

Obiettivo didattico: esercitazione sull'alfabeto e nozioni indirette sulla posizione geografica delle città italiane.

Partecipanti: 2 gruppi.

Tempo: circa 10 minuti.

Materiale: una copia della cartina di pagina 15 per ogni gruppo. Sarebbe preferibile farne delle copie in formato A3.

Preparazione: dividete la classe in due gruppi e date a ogni gruppo una copia della cartina d'Italia.

Obiettivo del gioco: ogni gruppo deve individuare nel minor tempo possibile una città italiana in base alla lettera dell'alfabeto dettata dall'insegnante.

Svolgimento: dite agli studenti che pronuncerete una lettera dell'alfabeto e che loro dovranno cercare sulla cartina una città italiana che abbia come lettera iniziale quella da voi pronunciata. Svolgete il gioco utilizzando tutte le lettere dell'alfabeto eccetto quelle di origine straniera (J, K, W, X, Y) e le lettere H, Z.

Esempio:
Insegnante: *lettera B!*
Gruppo A: *Bologna.*
Insegnante: assegna un punto al gruppo A.

Nota: poco dopo aver pronunciato la lettera è consigliabile, scriverla sulla lavagna. Dopo che una città è stata trovata, scriverne il nome sulla lavagna rispettando l'ordine alfabetico.

Ampliamento: potete utilizzare i nomi delle città trovate per mostrare agli studenti come in genere si fa la sillabazione in italiano: A come Ancona, B come Bologna, ecc. Fate poi sillabare i loro nomi.

Asino   **B**ue   **C**ane   **D**romedario

Elefante   **F**oca   **G**atto   **I**ppopotamo

Leone   **M**aiale   **O**rso   **P**ecora

Rinoceronte   **S**cimmia   **T**acchino   **Z**ebra

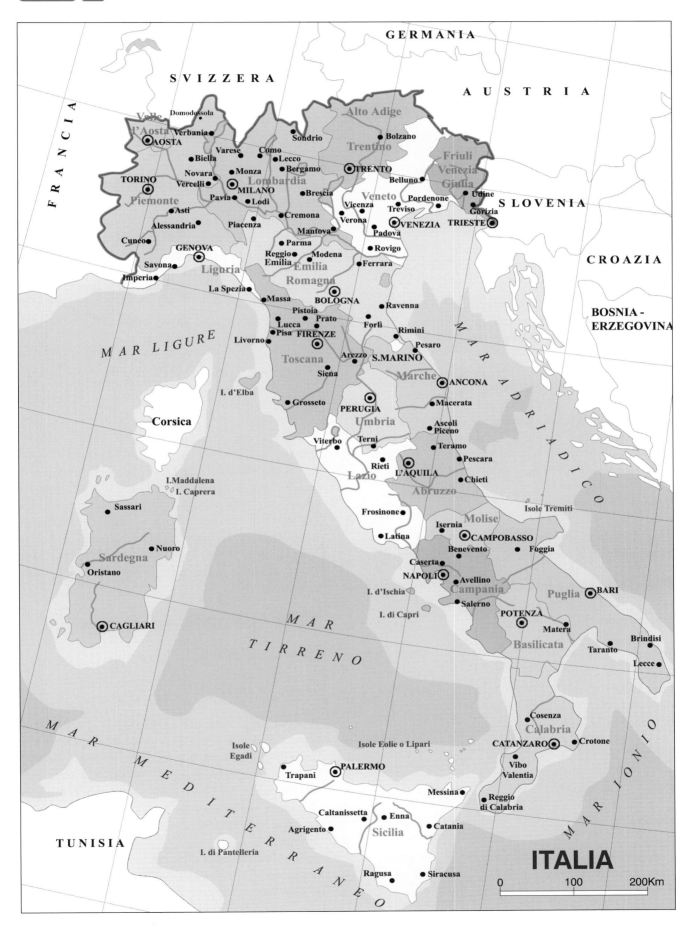

ITALIA

0   100   200Km

Obiettivi della sezione A: salutare, ordinare, presentare un amico e attivare la lingua per chiedere spiegazioni all'insegnante. Si vogliono anche attivare le conoscenze pregresse di lessico, farle condividere al gruppo classe in un contesto colloquiale.

Pag. 12, A1 – Dove sono? Che cosa dicono?

Descrizione: 4 foto di un bar. Foto A: una barista che parla con un giovane cliente. Foto B: un barista che sorride in segno di saluto a una signora che sta davanti al bancone. Foto C: due donne, una giovane e una più anziana, che si salutano all'interno del bar. Foto D: tre donne di cui due sono insieme e una è appena arrivata.

Tempo: 20 minuti.

Procedimento: è un'attività di preascolto e si utilizza l'immagine di apertura dell'unità didattica. Vedi **Presentazione – Attività di preascolto con l' immagine**.

🎧 1.8 **Pag. 12, A2 – Chi parla?**

Descrizione: 4 situazioni in un bar. Nelle prime due un ragazzo e una donna ordinano qualcosa, nella terza due donne si salutano, e nell'ultima una ragazza presenta un'amica ad un'altra.

Tempo: 25 minuti.

Procedimento: attività di ascolto. Vedi **Presentazione – Strategie di ascolto**.

🎧 1.8 **Pag. 12, A3 – Che cosa sentite?**

Descrizione: Vedi **A2**.

Tempo: 20 minuti.

Procedimento: Vedi **Presentazione – Quando si devono individuare singole parole**. Passate poi ad un confronto a coppie.

🎧 1.8 **Pag. 13, A4 – Mettiamo a fuoco**

Descrizione: Vedi **A2**.

Tempo: 20 minuti.

Procedimento: attività di ascolto e di lettura. Dopo l'ascolto fate leggere il dialogo agli studenti, divisi in coppie, date qualche minuto perché acquistino una certa scioltezza. Poi mostrate loro

la tabella e invitateli a riempirla elencando nelle apposite colonne le espressioni che hanno compreso e quelle che invece non sono chiare. Fatto questo guardate insieme le *frasi utili* e stimolateli a farvi domande. Per agevolarli potete scrivere un esempio alla lavagna del tipo: *Cosa significa "pizzetta"?*

Vedi **Unità 1** **+1** **Andiamo al bar**

Obiettivi della sezione B: si presentano le formule di saluto con dialoghi spontanei, l'uso del registro formale e informale e l'attivazione relativa.
Questa attività è concentrata prevalentemente sul fatto che, alla fine del percorso dell'unità si è in grado di comprendere delle variazioni sul tema in un parlato spontaneo e di aggiungere ancora alle proprie conoscenze qualche elemento comunicativo della stessa area tematica.

🎧 1.9 **Pag. 14, B1 – Salve, come va?**

Descrizione: 4 coppie di persone di varie età si incontrano e si salutano chiedendosi come va.

Tempo: 25 minuti.

Procedimento: attività di ascolto. Prima dell'attività provate a salutare qualcuno in classe e stimolate a rispondere utilizzando la stessa formula di saluto. Potete provare con *Ciao* e *Buongiorno*. Mostrate poi la pagina del libro con le immagini e connotate la parola *Salve!* come saluto (come *ciao* e *buongiorno*). Verificate se gli studenti conoscono altri saluti. Procedete, poi, all'ascolto. Vedi **Presentazione – Quando si devono individuare singole parole**.

🎧 1.9 **Pag. 14, B2 – Mettiamo a fuoco**

Descrizione: Vedi **B1**.

Tempo: 25 minuti.

Procedimento: attività di ascolto e di completamento. Formate coppie di studenti e spiegate che nella lingua italiana ci sono due registri di comunicazione, uno formale e uno informale. Potete provare sempre con *Ciao* e *Buongiorno*. Chiarite il concetto con alcuni esempi, se insegnate a gruppi di studenti che non hanno questa distinzione nella loro lingua.
Infine dite che riascolteranno i mini dialoghi e in coppia poi li rileggeranno. Dopo aver fatto l'attività chiedete se hanno notato la differenza fra "*tu*" e "*Lei*". Quindi dopo averne sottolineato la differen-

za fate procedere gli studenti alla compilazione delle tabelle.

Vedi **Unità 1** **+2** **Come va?**

Pag. 14, Espressioni idiomatiche

Tempo: 20 minuti.

Procedimento: focalizzate l'attenzione della classe sulle *espressioni idiomatiche*: con l'inflessione della voce date enfasi alle varie espressioni di risposta a *Come stai?*, sottolineando la valenza estremamente positiva di *In gran forma*. Solo in seguito chiedete un'espressione corrispondente a tale risposta positiva.

Pag. 14, B3 – Ora tocca a voi!

Tempo: 20 minuti.

Procedimento: gioco. Fate capire agli studenti che si devono alzare e incontrandosi, devono chiedersi reciprocamente: *Come va?* Potete dare un ritmo agli incontri: a) partecipando al gioco e facendo cambiare coppia ogni 20 secondi, dicendo ad alta voce *Ciao, come va?*; b) scandendo il tempo degli incontri con l'utilizzo di una musica che interviene per chiudere gli incontri e si spegne per favorire un nuovo incontro. Il gioco può essere diviso in due fasi: dapprima informale e poi formale *Buongiorno, come va?*

Obiettivo della sezione C: comprensione selettiva di un dialogo al bar. Inserire in un contesto quotidiano l'uso degli articoli indeterminativi e attivare il lessico trattato finora e gli articoli indeterminativi al singolare.

Ω 1.10 Pag. 15, C1 – Che cosa prendi?

Descrizione: alcuni clienti ordinano qualcosa in un bar.

Tempo: 25 minuti.

Procedimento: attività di ascolto e completamento da svolgersi a coppie. Invitate gli studenti ad ascoltare i dialoghi e a trovare le parole mancanti da inserire nei fumetti. Fate una verifica finale con tutta la classe.

Pag. 15, C2 – Ora tocca a voi!

Tempo: 25 minuti.

Procedimento: role play. L'insegnante organizza

gruppi di tre persone (due avventori e un barista) che devono creare un dialogo al bar. Ogni gruppo ha qualche minuto per realizzare il dialogo che poi mostrerà alla classe e si potrà aiutare con le parole delle due tabelle presenti nell'attività. La consegna è che il dialogo non si scrive, ma è solo orale. Come presentazione finale i role play si possono montare in sequenza in una situazione unica, con baristi al banco e ai tavoli. Ogni gruppo avrà un ordine di apparizione, deciso prima dall'insegnante che ne scandirà anche i tempi di realizzazione. L'importante è che non si lascino tempi morti fra un gruppo e l'altro: così si darà un'impressione generale di fluenza nel parlato.

Vedi **Unità 1** **+3** **Pesca la parola**

Obiettivi della sezione D: attivare la comprensione nelle situazioni in cui ci si deve presentare o si deve presentare qualcun altro. Introdurre le prime forme dei verbi *prendere* e *chiamarsi* e rafforzare la distinzione fra registro formale e informale in una situazione molto quotidiana e verosimile.
Fare organizzare la struttura del verbo *essere*.

Pag. 16, D1 – Presentazioni

Descrizione: varie persone si presentano specificando la loro nazionalità.

Tempo: 25 minuti.

Procedimento: attività di ascolto. Iniziate con il presentarvi voi stessi, facendo attenzione a scegliere frasi molto elementari che poi scriverete alla lavagna e chiedete poi a ciascuno di dire il proprio nome. Invitate poi gli studenti a descrivere le immagini come per la sezione A1. Procedete poi all'ascolto e in seguito formate delle coppie che dovranno associare i dialoghi ai disegni. Verificate infine con tutta la classe.

Pag. 16, D2 – Mettiamo a fuoco

Tempo: 20 minuti.

Procedimento: attività di completamento da svolgersi a coppie. Iniziate ricordando la differenza fra registro formale e informale nella lingua italiana. Per distinguere i due ambiti potete usare come indice di riconoscimento i saluti, che ormai gli studenti hanno già sentito e analizzato. Invitateli quindi a completare la tabella dicendo loro che si possono aiutare leggendo i dialoghi dell'attività precedente.

Vedi **Unità 1** **+4** **Presentazioni**

Pag. 17, D3 – Ora tocca a voi!

Tempo: 20 minuti.

Procedimento: invitate tutti gli studenti ad alzarsi e a disporsi a semicerchio davanti a voi. Prendete per mano uno studente e portatelo al centro del semicerchio, presentandolo nel modo seguente: *Questo è Robert. È americano.* Fate poi un inchino alla classe, invitate lo studente a fare altrettanto, riconducetelo al suo posto salutandolo così: *Ciao Robert.* Ripetete la stessa cosa con tutti gli studenti, dopodiché ripartirete dal primo, utilizzando questa volta la forma di cortesia e cioè: *Questo è il signor Smith. È americano. Buongiorno, signor Smith.* Per verificare la comprensione della classe, alla terza o quarta volta, potete presentare qualcuno sbagliando intenzionalmente la nazionalità e vedere se la classe reagisce e riesce a correggervi. Invitate poi gli studenti a passeggiare per l'aula presentandosi fra di loro e presentando i compagni che si trovano vicino. Quando avranno finito invitateli a guardare il riquadro grammaticale sull'uso dell'articolo davanti a *Signora/Signor* e chiarite eventuali dubbi riguardo ad alcuni degli aggettivi nella lista del manuale. Spiegate l'attività e lasciate che gli studenti si presentino al loro vicino.

Pag. 17, D4 – Noi, voi, loro...

Tempo: 15 minuti.

Procedimento: fate osservare i fumetti agli studenti, ponendo le solite domande per descrivere le immagini. In questo contesto è molto importante indicare quante persone sono presenti nelle immagini per individuare le forme singolari e plurali. Quindi formate le coppie e fate leggere agli studenti i dialoghi. In una fase successiva dite che devono completare insieme la tabella di *grammatica attiva*. Controllate che l'attività proceda senza problemi e verificatene con tutta la classe i risultati. Fate poi alcuni esempi, attivando le varie forme per chiarire in contesto l'uso del verbo: *Io sono di Roma; Charles e Elizabeth sono inglesi.* Infine fate delle domande: *Voi di dove siete?; Di dove è Anne?* per attivare le risposte e scrivete alla lavagna alcune delle frasi dette.

Obiettivo della sezione E: rafforzare il lessico e familiarizzare gli studenti con un contesto dialogico più complesso, orientando ad una comprensione selettiva. Far organizzare la strutture del verbo *avere* presente nel testo. Attivare l'articolo determinativo e ripetere il lessico sin qui trattato. Infine attivare in modo ludico la prima e la seconda persona singolare del verbo *avere*.

🎧 1.11 Pag. 18, E1 – Avete voglia di prendere qualcosa?

Descrizione: Luca presenta a sua madre un amico, Carlo. E lei li invita a prendere qualcosa al bar.

Tempo: 30 minuti.

Procedimento: attività vero o falso con ascolto, vedi **Presentazione – Strategie d'ascolto. Dialoghi lunghi. Attività di vero o falso.** Alla fine concentrate l'attenzione degli studenti sulla trascrizione dei dialoghi dicendo che troveranno un verbo nuovo e chiedete di sottolinearne le forme. Invitateli, poi, a completare la tabella di *grammatica attiva* del verbo *avere*. Infine attivatene l'uso in conversazioni di cui date qualche esempio, indicando oggetti personali, *io ho la palla, il telefono, il computer,* ecc.

Soluzione: 1. *sì*; 2. *no* (solo Luca ha fame); 3. *sì*; 4. *sì*; 5. *no.*

Pag. 19, Esercizi 1 e 2

Tempo: 15 minuti ciascuno.

Procedimento: *esercizio 1:* dividete la classe in coppie e spiegate che dovranno completare le frasi con l'articolo determinativo. Questo è un semplice esercizio di rinforzo ma subito dopo passerete ad una attivazione chiedendo agli studenti quali parole conoscono degli oggetti presenti nella classe. Ogni volta che lo studente dirà un nome lo inviterete ad aggiungervi l'articolo.
Esercizio 2: Fate cercare tutte le parole di pagina 15 relative al bar e fate trovare l'articolo determinativo giusto. Vince la coppia che ne trova di più e dà più risposte giuste.

Pag. 19, Gioco

Tempo: 10 minuti.

Procedimento: gioco. Il gioco è a catena e si conclude quando un partecipante ha fatto una domanda a tutti ed è riuscito a ottenere una risposta positiva da ognuno. Si possono mettere le persone in cerchio e si può utilizzare una palla. La persona che fa la domanda tira la palla a chi deve rispondere. Se la risposta è positiva la palla torna alla prima persona che continua a fare un'altra domanda a qualcun altro fino a chiudere il cerchio. Se la risposta è no, la persona che ha dato risposta negativa inizia a sua volta a fare domande tirando la palla.

Vedi **Unità 1** **+5** – **Disegni parlanti**

Obiettivo della sezione F: i numeri da 1 a 20: attività induttive e d'ascolto per organizzare le sequenze numeriche.

1.12 **Pag. 19, F1 – I numeri**

Tempo: circa 10 minuti.

Procedimento: dividete la classe in coppie e fate scrivere per esteso in italiano i numeri da 0 a 10. Dopo la preattività consigliata dal libro, si procede all'ascolto. Le coppie verificano i risultati autocorreggendosi. In fine si possono leggere i numeri in coro in ordine crescente e decrescente.

1.13 **Pag. 19, F2 – Che confusione!**

Tempo: circa 10 minuti.

Procedimento: lasciando la classe divisa come per l'attività precedente – se si fa quest'attività accanto all'altra – fate scrivere il numero accanto alla trascrizione in lettere. In questo caso potete evitare di leggere per non agevolare un'attività che già di per sé non è estremamente complessa. Dopodiché introducete l'ascolto per la verifica. Fate due ascolti.

Vedi **Unità 1** **+6** – **Parole in codice**

Obiettivo della sezione G: stimolare la lettura corretta dei suoni e avere un primo approccio ludico alla scrittura dei suoni corrispondenti alle lettere –C– e –G– .

1.14 **Pag. 20, G1 – Come si chiama?**

Tempo: 20 minuti circa.

Procedimento: attività di ascolto. Richiamate alla memoria alcuni suoni sentiti nell'unità *Benvenuti!* (*Chianti, Michelangelo, gondola*, ecc.), quindi dite alla classe che ora sentiranno nomi più comuni e che dovranno riconoscerli nella lista riportata nel manuale. Dividete la classe in coppie e procedete all'ascolto. Gli studenti dopo l'attività di riconoscimento, che verificheranno a coppie, proveranno insieme a leggere i nomi non presenti nel testo audio.

Pag. 20, G2 – Avete un amico italiano o un'amica? Come si chiama?

Tempo: 20 minuti circa.

Procedimento: Attività di scrittura. Dite alcuni nomi dei vostri amici e scrivetene il nome alla lavagna. Scegliete nomi e cognomi italiani abbastanza comuni. Infine chiedete agli studenti di dire il nome di qualche loro amico o amica italiana. Dividete la classe in coppie e invitate gli studenti a dettarsi i nomi degli amici.

1.15 **Pag. 20, G3 – È una domanda?**

Obiettivo: far riconoscere la valenza comunicativa dei messaggi non verbali come l'intonazione.

Tempo: 20 minuti circa.

Procedimento: fate alcuni esempi con le frasi che avete trovato nelle attività precedenti per spiegare le parole *Domanda o affermazione?*: *Di dove sei?* (Domanda) *Di Berlino.* (Affermazione). Dopodiché dividete la classe in coppie e dite loro che devono dire se le frasi che sentiranno sono domande o affermazioni, poi iniziate l'ascolto. Lasciate che le persone in coppia si accordino su una risposta, poi verificate i risultati con tutta la classe.

Soluzione: 1. *A*; **2.** *D*; **3.** *A*; **4.** *D*; **5.** *D*; **6.** *A*.

Pag. 20, L'angolo dei messaggi

Obiettivo: far avvicinare in modo ludico gli studenti ad un testo che non capiscono integralmente, ma che attiva strategie di comprensione per ipotesi.

Tempo: variabile da 10 a 20 minuti.

Procedimento: dividete la classe in piccoli gruppi e fate leggere i messaggi con la consegna di individuare nuove forme di saluto. Vince chi riesce a trovarne il maggior numero.

Pag. 21, Italia Oggi – L'Italia dell'Euro

Obiettivo: far avvicinare gli studenti alla cultura italiana.

Tempo: 20 minuti circa.

Procedimento: per prima cosa invitate gli studenti a tirar fuori alcune monete che hanno in tasca e a mostrarle alla classe. *Come sono? Che cosa vi è rappresentato? Hanno degli euro italiani?* Spostate poi l'attenzione sulle immagini dell'attività: la Mole Antonelliana, Dante Alighieri, ecc. e cercate di farvi dire tutto ciò che sanno. Alla fine formate delle coppie e procedete come da consegna.

Info:

Castel del Monte: in Puglia, in provincia di Bari, forse l'imperatore Federico II che lo fece costruire non soggiornò mai in questo affascinante e misterioso castello medievale a pianta ottogonale.

Mole Antonelliana: l'edificio, ormai simbolo della città di Torino, è alto 167 m. Attualmente è sede del nuovo Museo Nazionale del Cinema; un ascensore panoramico consente di accedere alla guglia in ogni periodo dell'anno.

Nascita di Venere: il famoso dipinto del Botticelli si trova a Firenze nella Galleria degli Uffizi; è possibile prenotare i biglietti per visitare la Galleria senza fare la coda, telefonicamente (vedi sito ufficiale: www.uffizi.firenze.it) oppure anche on-line (vedi www.florenceart.it)

Forme uniche della continuità nello spazio: l'opera di Boccioni, del 1913, si trova al Civico Museo d'Arte Contemporanea di Milano.

Marco Aurelio: dopo un restauro durato 9 anni, nel 1990 il monumento è stato riportato in Campidoglio ed è stato collocato all'interno del cortile dei Musei Capitolini in un ambiente protetto.

Il monumento attualmente visibile sul basamento michelangiolesco della piazza è una perfetta copia della statua di bronzo.

Uomo vitruviano: l'originale si trova alle Gallerie dell'Accademia a Venezia. L'immagine è emblematica della concezione umanistica dell'uomo microcosmo e della teoria delle proporzioni che vedono nel quadrato e nel cerchio le due figure geometriche base.

Dante Alighieri: il ritratto di Dante dipinto da Raffaello è conservato nell'ala Papa Giulio II dei Palazzi Vaticani.

Attività supplementari

Unità 1 **+1** Andiamo al bar

Quando: dopo il punto A4.

Obiettivo didattico: dettato visivo per ripassare il lessico e ampliarlo.

Partecipanti: in plenum.

Tempo: circa 5 minuti.

Materiale: una copia di pagina 23 per ogni studente.

Preparazione: distribuite agli studenti le copie.

Obiettivo del gioco: gli studenti dovranno segnare con una crocetta le cose che le persone dei dialoghi, da voi dettati, prendono al bar.

Svolgimento: leggete i seguenti dialoghi a voce alta e lentamente, dicendo agli studenti di segnare con una crocetta, sul foglio che avete distribuito, le cose che le persone prendono al bar.

Dialogo 1:
● *Buongiorno signor Rossi, cosa prende?*
○ *Un caffè e un cornetto grazie.*

Dialogo 2:
● *Buongiorno Signora Roveri, un caffè?*
○ *No grazie, vorrei un tè freddo.*
● *Prende anche una pasta?*
○ *Sì, volentieri.*

Dialogo 3:
● *Buongiorno signori, prego?*
○ *Un succo di frutta, grazie.*
▲ *Per me un latte macchiato, per piacere.*

Soluzione: *caffè, cornetto, tè freddo, pasta, succo di frutta, latte macchiato.*

Unità 1 **+2** Come va?

Quando: dopo il punto B2.

Obiettivo didattico: fissare le espressioni per salutarsi.

Partecipanti: a coppie.

Tempo: 15 minuti.

Materiale: una copia di pagina 24 per ogni coppia di studenti.

Preparazione: scrivete alla lavagna la frase *Come va?* e in seguito distribuite agli studenti una copia di pagina 24.

Obiettivo del gioco: gli studenti devono creare, con le parole date, quante più espressioni possibili per rispondere alla domanda *Come va?*
Vince la coppia che nel minor tempo possibile usa più parole.

Svolgimento: dopo aver scritto la frase *Come va?* alla lavagna, rivolgete la domanda a ogni studente e scrivete le risposte. Quando tutti avranno risposto, dividete la classe in coppie e date loro la copia di pagina 24. Dite che devono utilizzare le parole del riquadro superiore per formare quante più espressioni possibili per rispondere alla domanda: *Come va?* e scriverle nelle righe sottostanti. Date un massimo di 5 minuti per questa parte dell'attività e infine assegnate un punto per ogni espressione corretta.

Soluzione possibile: *bene grazie, sto molto bene, sono in gran forma, sto abbastanza bene, non c'è male, non troppo bene, ho mal di testa, benissimo, insomma, tutto bene.*

Ampliamento: concluso l'esercizio potete chiedere agli studenti di utilizzare le espressioni per creare dei mini dialoghi.

Unità 1 **+3** **Pesca la parola**

Quando: dopo il punto C2.

Obiettivo didattico: esercitazione sugli articoli indeterminativi.

Partecipanti: in plenum.

Tempo: circa 20 minuti.

Materiale: una copia di pagina 25, da ritagliare.

Preparazione: liberate i banchi e allontanate le sedie. Fate mettere gli studenti in piedi intorno al banco sul quale metterete in ordine sparso le carte delle immagini ritagliate da pag. 25.

Obiettivo del gioco: vince il giocatore che raccoglie più carte.

Svolgimento: dite agli studenti che devono girare intorno al banco e raccogliere la carta con l'immagine che concorda per genere all'articolo indeterminativo da voi detto. Il gioco termina quando tutte le immagini sono state raccolte.

Esempio:
Insegnante: *Uno!*
Studente: (raccoglie un'immagine)
Insegnante: *Che cos'è?*
Studente: *Uno yogurt.*
Insegnante: *Bene, puoi tenere la carta.*
Insegnante: *Un!*
Studente: (raccoglie un'immagine)
Insegnante: *Che cos'è?*
Studente: *Un yogurt.*
Insegnante: *No, non è UN yogurt.*
Studente: (ripone l'immagine sul banco)

Nota: ci sono alcune parole che non sono preceden-

temente apparse nell'unità e che si possono spiegare mostrandone le immagini prima di giocare: *libro, penna, sedia, bottiglia, banana.*

Unità 1 **+4** **Presentazioni**

Quando: dopo il punto D2.

Obiettivo didattico: esercitazione sulle espressioni utilizzate per presentarsi.

Partecipanti: a coppie di 2, poi gruppi di 4.

Tempo: circa 20 minuti.

Materiale: una copia di pagina 26 per ogni coppia di studenti.

Preparazione: date a ogni coppia di studenti una copia di pagina 26.

Svolgimento: dopo aver diviso gli studenti in coppie dite loro di creare dei dialoghi basandosi sulle immagini e di scriverli su un foglio a parte. Mostrate loro come creare un dialogo utilizzando una delle immagini, vedi esempio. Quando tutte le coppie hanno finito, unite due coppie formando gruppi di 4. A turno le coppie leggono i propri dialoghi: mentre una legge, l'altra individua l'immagine a cui si riferisce. Alla fine dell'attività dite agli studenti di completare le immagini con i dialoghi creati.

Esempio:
Ragazzo giapponese dell'immagine: *Salve. Io sono Kenji, sono giapponese e Lei?*
Signora inglese dell'immagine: *Piacere. Io sono Sarah, sono inglese, di Londra.*

Unità 1 **+5** **Disegni parlanti**

Quando: dopo il punto E1.

Obiettivo didattico: accordo del nome con l'aggettivo, ripasso articoli più ampliamento del lessico.

Partecipanti: gruppi di 4.

Tempo: circa 20 minuti.

Materiale: un set di carte ritagliate da una copia di pagina 27 per ogni gruppo di 4 studenti, più uno per l'insegnante.

Preparazione: dividete la classe in gruppi di 4. A ogni gruppo date un set di carte ponendolo con le immagini rivolte verso il banco.

Obiettivo del gioco: vince la coppia che guadagna più punti.

Svolgimento: in ogni gruppo gli studenti sono suddivisi a coppie. A turno pescano una carta e "leggono" i disegni facendo attenzione all'accordo dell'aggettivo e all'articolo del nome. Dite di scrivere le frasi su un foglio a parte. Quando tutte le carte saranno finite, prendete il vostro mazzo di carte e pescate una carta alla volta chiedendo, alle coppie che hanno pescato quella stessa carta dal loro mazzo, di leggere la frase che hanno creato associandola a quel disegno. Dopo che tutte le coppie hanno letto la propria frase, date la lettura corretta e assegnate 1 punto a quelle che le hanno create nel modo corretto.

Esempio: carta con i disegni di *birra* e *Germania*: frase corretta: **La birra tedesca.**

Nota: alcune parole nel gioco risulteranno nuove agli studenti: *giornale, birra, macchina/auto, cappello, libro, riso.*

Unità 1 **+6** **Parole in codice**

Quando: dopo il punto F2.

Obiettivo didattico: ripasso dei numeri da 0 a 20.

Partecipanti: a coppie.

Tempo: circa 30 minuti.

Materiale: una copia dei messaggi in codice di pagina 28 per ogni coppia di studenti, da ritagliare a metà.

Preparazione: dopo aver diviso gli studenti in coppie, date a uno dei due la parte superiore dei messaggi e all'altro la parte inferiore.

Obiettivo del gioco: decifrare le frasi numerate.

Svolgimento: dite agli studenti che sono delle spie e devono decifrare un messaggio in codice. In ogni coppia uno studente legge i numeri che caratterizzano la sua frase cifrata e chiede all'altro studente di dirgli la lettera che corrisponde al numero nel codice (a numero uguale corrisponde lettera uguale). Quando le frasi sono state decifrate, fate rispondere alle domande *Come si chiama?* e *Di dov'è?* relative alle persone delle frasi stesse.

Soluzione: Frase A: *Mi chiamo Enrico, sono italiano, di Roma.* **Frase B:** *Ciao. Io sono Susanne, sono tedesca, di Monaco.*

Ampliamento 1: potete utilizzare i codici per creare altre frasi che gli studenti devono decifrare. In questo caso il tempo di esecuzione dell'attività varia in base alla quantità di frasi da decifrare date agli studenti.

Ampliamento 2: potete chiedere agli studenti di utilizzare i propri codici per creare delle frasi che dovranno essere decifrate dall'altro studente. Date a quest'ampliamento un tempo massimo di 20 minuti.

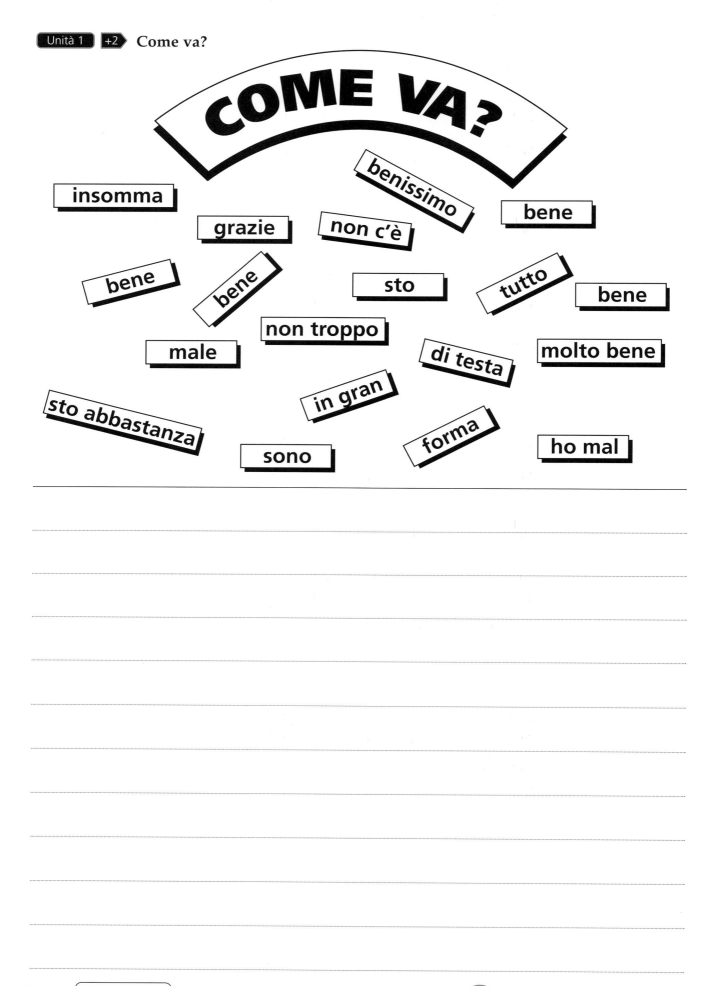

Caffè Italia 1 Guida per l'insegnante © ELI 2005

25

	Italia		Germania
	Italia		Giappone
	Francia		America
	Inghilterra		Spagna
	Irlanda		Cina
	Messico		Grecia
	Egitto		Svizzera
	Australia		Corea
	Norvegia		Italia

Frase A:

12 - 2 - 11 - 10 - 2 - 1 - 12 - 20 - 14 - 4 - 9 - 2 - 11 - 20

_ _ _ _ _ _ _ _ _ _ _ _ _ _

7 - 20 - 4 - 20 - 2 - 8 - 1 - 6 - 2 - 1 - 4 - 20 - 3 - 2 - 9 - 20 - 12 - 1

_ _ _ _ _ _ _ _ _ _ _ _ _ _ _ _ _ _

Codice B:

A	=	6	N =	7
B	=	10	O =	18
C	=	12	P =	14
D	=	8	Q =	9
E	=	20	R =	1
F	=	17	S =	15
G	=	4	T =	11
H	=	5	U =	3
I	=	2	V =	19
L	=	13	Z =	0
M	=	16		

✂ -

Frase B:

12 - 2 - 6 - 18 - 2 - 18 - 15 - 18 - 7 - 18 - 15 - 3 - 15 - 6 - 7 - 7 - 20

_ _ _ _ _ _ _ _ _ _ _ _ _ _ _ _ _

15 - 18 - 7 - 18 - 11 - 20 - 8 - 20 - 15 - 12 - 6 - 8 - 2 - 16 - 18 - 7 - 6 - 12 - 18

_ _ _ _ _ _ _ _ _ _ _ _ _ _ _ _ _ _ _

Codice A:

A	=	1	N =	4
B	=	16	O =	20
C	=	11	P =	18
D	=	3	Q =	15
E	=	14	R =	9
F	=	5	S =	7
G	=	17	T =	8
H	=	10	U =	19
I	=	2	V =	13
L	=	6	Z =	0
M	=	12		

Unità 1 - Esercizi supplementari - Prima parte

1 *Completate con le forme del verbo* **essere**.

1. S__ __ __ di Milano, in Italia.
2. Tu non __ __ i italiana, vero?
3. Maria __ greca.
4. Signor Rossi, Lei __ di Roma?
5. Anche noi __ I __ A __ O americani, di Boston.
6. Di dove S __ __ T __ voi?
7. Signori, voi __ I E __ E giapponesi?
8. Maria e Dimitri S__ __ __ greci.

2 *Mettete l'articolo* **il** *o* **la** *o* **l'** *a queste parole e poi scrivetele al posto giusto.*
pizzetta – panino – caffè – centesimo – latte – crema – cioccolata – panna – cacao – birra – acqua – vino

Finale - a	Finale - o	Finale - e / - è

3 *Completate il dialogo con le domande.*

Sally.

Sì, sono americana.

Di New York.

4 *Collegate le frasi e ricostruite i mini dialoghi.*

1. Lei non è italiana, vero?

2. Sei di Boston, Sally?

3. Di dove sei?

4. Lei è tedesco, vero?

a. Sì, sono di Berlino.

b. Sono giapponese, di Tokyo.

c. Sono americana, ma sono di New York.

d. No, sono di Londra. Sono inglese.

Unità 1 - Esercizi supplementari - Seconda parte

5 *Lavorate a coppie. Costruite delle frasi con le parole delle 4 colonne. Vince la coppia che scrive il maggior numero di frasi corrette.*

Io	sono	un	New York
Sally	è	–	Roma
Luca	prendo	di	bene
Noi	sta	la	caffè
Lisa e Marcella	siamo	una	pasta

....

....

....

....

....

....

....

6 *Completate le frasi con le forme del verbo* **avere.**

1. Noi .... un amico tedesco.

2. Loro .... sete.

3. Voi .... fame?

4. Noi .... un libro.

5. Carlo .... un amico tedesco.

6. Luisa e Luca .... un bar a Bologna.

7. Io .... sete.

8. Tu e Paolo .... fame.

9. Tu .... 5 euro?

10. Il dottor Pieri .... sonno.

7 *Completate le operazioni e scrivete accanto i numeri in lettere.*

1. $7 - 5 =$ ....

2. $8 + 3 =$ ....

3. $15 -$........................$= 10$ ....

4. $20 \div 5 =$ ....

5. ....$- 1 = 16$ ....

6. ....$\times 3 = 18$ ....

7. $7 +$........................$= 20$ ....

8. $9 -$........................$= 7$ ....

Obiettivo della sezione A: chiedere qualcosa. Chiedere e dare informazioni su una persona, sulla famiglia, sull'occupazione e sull'età.

Pag. 22, A1 – Dove sono le persone? Di che nazionalità sono?

Descrizione: 3 immagini. Nella prima due insegnanti parlano sulla porta di una classe in cui si vedono una studentessa giapponese, uno studente americano e uno tedesco; nella seconda uno studente si rivolge alla vicina di banco per chiedere una penna e sui banchi sono presenti vari oggetti; nella terza una studentessa è accanto alla finestra e la indica per chiedere di aprirla.

Tempo: 10 minuti.

Procedimento: attività di preascolto che vi servirà per presentare nuovi vocaboli che gli studenti ritroveranno nella successiva attività di ascolto. Mostrate le immagini con domande del tipo *Dove sono? Di che nazionalità sono gli studenti nel disegno A?* Coinvolgete ancora di più gli studenti chiedendo a tutti gli studenti americani di alzare la mano, toccherà poi ai giapponesi, ai tedeschi e così via. Ora portate la loro attenzione sugli oggetti presenti nei disegni B e C. Ci sarà sicuramente qualcuno che sa come si chiamano in italiano alcuni degli oggetti sui banchi, per gli altri potete aggiungere voi i nomi: *borsa, bottiglia, occhiali, penna, foglio, quaderno/libro*, senza però insistere troppo: ci sarà modo di riprendere e rafforzare il vocabolario più avanti. Infine, fate formulare ipotesi su quello che potrebbero dire/chiedere lo studente nel disegno B e la studentessa nel disegno C ma non insistete per ottenere risposte corrette e non anticipate i contenuti dei dialoghi di ascolto.

🎧 1.16 **Pag. 22, A2 – Chi parla?**

Descrizione: un'insegnante di italiano parla dei suoi nuovi studenti ad una collega. Il dialogo è riferito alla prima immagine.

Tempo: 15 minuti.

Procedimento: attività di ascolto. Vedi **Presentazione – Strategie di ascolto.**

🎧 1.16 **Pag. 22, A3 – Di chi parlano?**

Descrizione: vedi **A2**.

Tempo: 10 minuti.

Procedimento: attività di ascolto. Dite agli studenti che riascolteranno il dialogo ancora una volta, questa volta però dovranno provare a capire i nomi e le nazionalità delle persone nominate. Alla fine procedete con un confronto a coppie.

🎧 1.16 **Pag. 23, A4 – Keiko, Tobias o Ryan?**

Descrizione: vedi A2.

Tempo: 15 minuti.

Procedimento: attività di ascolto. Mostrate la tabella con i vocaboli illustrati agli studenti, verificando che non ci siano dubbi sul vocabolario usato e dite loro che dovranno completarla mentre ascoltano di nuovo il primo dialogo dell'unità. Procedete poi con il confronto a coppie. Se fosse necessario fate riascoltare il dialogo ancora una volta.

Soluzione: 1. *Keiko,* **2.** *Tobias,* **3.** *Keiko,* **4.** *Ryan,* **5.** *Keiko*

Pag. 23, A5 – Ora tocca a voi!

Tempo: 20 minuti.

Procedimento: attività orale. Formate delle coppie e invitate ogni studente a parlare della propria famiglia al compagno. Non intervenite mai se non dietro precisa richiesta e lasciate liberi di "sbagliare". Possono servirsi della tabella presente nella pagina per aiutarsi con qualche vocabolo.

Pag. 23, A6 – Come sono i capelli?

Tempo: 20 minuti.

Procedimento: attività orale. Fate osservare agli studenti i disegni dell'attività e leggete insieme le descrizioni. Invitateli poi a guardarsi intorno nella classe e a trovare dei compagni con le stesse caratteristiche dei personaggi descritti nei disegni. A questo punto dovranno formulare frasi del tipo *Paul ha i capelli lunghi come Tobias, Angela è bruna come Keiko.* Per rendere più divertente l'attività potete trasformarla in gioco chiedendo agli studenti di alzarsi in piedi ogni volta che pensano di avere una frase corretta, nel qual caso riceveranno un punto. Non si potrà utilizzare il nome di uno studente più di una volta. Vince chi alla fine avrà guadagnato più punti.

Pag. 24, A7 – Mettiamo a fuoco

Tempo: 15 minuti.

Procedimento: attività di ascolto e di completamento. Invitate gli studenti a guardare la tabella delle intenzioni comunicative nella pagina, fate notare che è incompleta ma che hanno già incontrato altri modi per esprimere ciò che viene richiesto. Per aiutarli dite loro che riascolteranno i dialoghi dove possono trovare le espressioni richieste. Alla fine dell'ascolto procedete con il confronto a coppie. Possono poi verificare il loro risultato leggendo la trascrizione.

Pag. 24, A8 – Ora tocca a voi!

Tempo: 20 minuti.

Procedimento: Vedi A5. Invitate gli studenti ad aggiungere alla tabella il nome di altre professioni che eventualmente conoscono. Notate che vicino alla tabella si trova la coniugazione delle prime tre persone del verbo *fare*, nonostante in questa unità i verbi irregolari non vengano trattati. Il suo uso qui è limitato unicamente al campo delle professioni e sarà ripreso nelle prossime unità.

Vedi **Unità 2** **+1** **Il totolavoro**

Obiettivi della sezione B: chiedere una parola in italiano, chiedere di fare qualcosa, chiedere di avere qualcosa, rinforzo degli articoli determinativi singolari e presentazione dei plurali e genere dei nomi.

Pag. 24, B1 – In classe

Tempo: 20 minuti.

Procedimento: attività di lettura e completamento a coppie. Invitate gli studenti a leggere i dialoghi e ad abbinarli alle immagini di apertura. Per quanto riguarda il completamento della tabella delle intenzioni comunicative vedi A7.

Pag. 25, B2 – Mettiamo a fuoco

Tempo: 20 minuti.

Procedimento: invitate gli studenti ad osservare l'immagine; verificate che non ci siano problemi con i nuovi vocaboli. Formate delle coppie e chiedete loro di guardare gli esempi, di formulare delle ipotesi sulla formazione dei plurali e di completare poi la tabella di *grammatica attiva*.

Pag. 25, B3 – E voi che cosa avete nella borsa?

Tempo: 15 minuti.

Procedimento: mettete tutti gli studenti in cerchio e invitateli a turno a tirare fuori un oggetto dalla borsa, a mostrarlo agli altri dicendo che cos'è, ad esempio: *Ecco il portafoglio*, e a trasformare subito la parola al plurale. Chi esita troppo o sbaglia due volte è eliminato; vince l'ultimo studente rimasto. Quando le borse saranno vuote, potrete continuare il gioco utilizzando gli oggetti nella classe.

Vedi **Unità 2** **+2** **Giochiamo con le parole**

Obiettivi della sezione C: Ripresa e attivazione orale per *dare e chiedere informazioni su una persona*. Introduzione dei verbi regolari al presente. Iniziare a far conoscere alcune espressioni d'uso corrente come *Ti va di...?, Ma dai…*, ecc.

1.17 **Pag. 26, C1 – Oggi arriva Marta**

Descrizione: Dialogo al telefono. Luca chiede a Carlo di accompagnarlo alla stazione a prendere Marta.

Tempo: 25 minuti.

Procedimento: attività di "vero o falso" con ascolto. Procedete all'ascolto e alla fine formate delle coppie che si scambieranno delle informazioni. Alla fine del terzo ascolto fate aprire il libro, guardate insieme le domande di comprensione, assicuratevi che ciò che viene chiesto sia chiaro e formando nuove coppie invitate a svolgere l'attività.

Soluzione: 1. *no*; **2.** *no*; **3.** *sì*; **4.** *no*; **5.** *sì*.

1.17 **Pag. 26, C2 – Mettiamo a fuoco**

Tempo: 30 minuti.

Procedimento: ascolto e parziale ricostruzione del dialogo. Invitate gli studenti a chiudere il libro e procedete all'ascolto. Fermate la registrazione ogni volta che incontrate una frase che contenga espressioni del tipo "ma dai", "ti va di", "senti ma…" e fatele risentire più volte invitando gli studenti a ricostruirle. Voi scriverete le loro ipotesi alla lavagna aiutandoli pian piano ad arrivare alla frase corretta. Alla fine potranno controllare anche leggendo sul manuale. A questo punto chiedete se qualcuno ha capito il significato di queste espressioni, se c'è qualcosa di equivalente nella loro lingua, in quali situazioni si possono usare.

🎧 1.17 **Pag. 26, C3 – Verbi, verbi, verbi**

Tempo: 30 minuti.

Procedimento: ascolto e completamento. Questa attività va svolta a libro aperto. Fate ascoltare di nuovo il dialogo e invitate gli studenti a sottolineare nel dialogo C2 i verbi che riconoscono. Formate poi delle coppie che svolgeranno l'attività di completamento della tabella in C3. Formate altre coppie e chiedete loro di completare la tabella della grammatica attiva. Alla fine verificate i risultati con la classe e chiedete quali elementi li hanno aiutati nella coniugazione dei verbi.

Vedi **Unità 2** **+3** **Pesca il verbo**

Pag. 27, C4 – Ora tocca a voi!

Tempo: 20 minuti.

Procedimento: vedi A5.

Obiettivi sezione D: imparare i numeri da 20 in su.

🎧 1.18 **Pag. 28, D1 – Quanti anni ha?**

Tempo: 20 minuti.

Procedimento: ascolto e riconoscimento. Mostrate agli studenti il disegno relativo all'attività. Chiedete loro che cosa ricorda, qualcuno forse conoscerà la parola *sveglia*. Dite che sentiranno alcuni mini dialoghi che contengono dei numeri. Il loro compito è quello di collegare decine e unità per ricostruire i numeri che sentono, seguendo l'esempio che vedono nella pagina del libro. Segue confronto a coppie.

🎧 1.19 **Pag. 28, D2 – Ancora numeri**

Tempo: 15 minuti.

Procedimento: ascolto. Mentre ascoltano, invitate gli studenti a leggere a bassa voce i numeri riportati nell'attività.

Pag. 28, Gioco

Tempo: 25 minuti.

Procedimento: dividete la classe in due squadre e invitate uno studente per squadra a raggiungervi alla lavagna. Leggete un numero e il primo studente che lo scriverà correttamente guadagnerà un punto per la sua squadra. Ogni 5 numeri cambiate

gli studenti alla lavagna. Vincerà chi alla fine ha totalizzato più punti.

Vedi **Unità 2** **+4** **Tombola!!!**

Obiettivi della sezione E: rafforzare la capacità di dare e chiedere informazioni sulle persone e presentare alcune preposizioni di luogo.

Pag. 28, E1 – Un modulo da compilare

Descrizione: immagine di un modulo di iscrizione ad un corso di italiano per stranieri. Luca si reca ad una scuola per iscrivere Marta e parla con la segretaria.

Tempo: 20 minuti.

Procedimento: attività orale a coppie. Dopo aver formato le coppie, spiegate agli studenti che uno di loro dovrà assumere il ruolo A, di un/a segretario/a di una scuola di italiano per stranieri, e l'altro il ruolo B, di Luca che deve iscrivere Marta. Le domande e le risposte degli studenti si dovranno basare sul modulo di iscrizione presente nell'attività e sui dati personali di Marta che si trovano a pagina 208 del manuale.

🎧 1.20 **Pag. 29, E2 – Dove vive? Dove lavora?**

Descrizione: Luca e Carlo alla stazione, mentre aspettano Marta parlano di alcuni studenti della scuola di italiano.

Tempo: 30 minuti.

Procedimento: attività di ascolto e completamento. Per quanto riguarda la fase di ascolto procedete come di consueto con la formazione di coppie, formulazione di ipotesi, scambio di coppie e verifica. Poi fate ascoltare di nuovo il dialogo e chiedete agli studenti di completare le risposte dell'attività. Confronto a coppie e completamento della tabella di *grammatica attiva* come in **C3**. L'esercizio 1 è di rinforzo, da far svolgere sempre a coppie. Si conclude con un gioco: dividete gli studenti in due squadre e invitateli a costruire più frasi possibili con le parole date. Vince la squadra che in 5 minuti di tempo ha prodotto il maggior numero di frasi corrette.

Soluzione dell'attività E2: *in Brasile, a San Paolo, in Germania, a Colonia, in Toscana.*

Vedi **Unità 2** **+1** **Slot Machine**

Obiettivi della sezione F: pronuncia e grafia del

nesso –SC–. Domanda e affermazione: l'intonazione.

🎧 1.21 **Pag. 30, F1 – Pronuncia e grafia**

Tempo: 20 minuti.

Procedimento: attività di ascolto e ripetizione. Formate delle coppie all'interno delle quali gli studenti dovranno leggere le parole dell'attività. Date alcuni minuti e poi passate alla fase d'ascolto. Fermatevi ad ogni parola e fate ripetere alla classe ad alta voce. Alla fine dell'attività, come ampliamento, chiedete agli studenti di formare una frase con ognuna delle parole ascoltate.

🎧 1.22 **Pag. 30, F2 – Pronuncia**

Tempo: 30 minuti.

Procedimento: attività di ascolto e ripetizione. Il procedimento è identico al precedente. Attirate l'attenzione degli studenti sulle freccette che indicano l'intonazione. L'attività si conclude con un gioco da svolgersi a squadre. Ogni squadra deve scrivere sei frasi: 3 domande e 3 affermazioni che poi leggerà ad alta voce alla squadra avversaria, la quale dovrà rispondere solo alle domande e rimanere in silenzio dopo le affermazioni. Chi reagisce correttamente guadagna un punto.

Pag. 30, L'angolo dei giornali

Descrizione: titoli di giornali italiani (materiale autentico).

Tempo: 20 minuti.

Procedimento: attività orale a coppie. Invitate gli studenti a trovare qual è il titolo che parla di un argomento diverso dagli altri. Sarà piuttosto facile per loro capire che 3 dei 4 titoli parlano della scuola anche se non capiranno il significato di ogni singola parola. Alla fine verificate che tutti abbiano individuato l'argomento del quarto titolo "intruso": *Il Motorshow,* una Fiera sul mondo dei veicoli a motore che si svolge una volta all'anno a Bologna.

Pag. 31 – Italia Oggi, Gli indirizzi degli italiani

Descrizione: vari indirizzi di italiani, alcune informazioni sulle abbreviazioni negli appellativi, sul CAP e sulle province italiane. La tabella dei numeri romani.

Tempo: 20 minuti.

Procedimento: dopo aver fatto eseguire il primo compito, chiedete agli studenti se anche nel loro Paese è normale utilizzare i titoli professionali così come si fa in Italia. Fate un confronto. Poi fate leggere a coppie i due riquadri con le informazioni sul CAP e sulle sigle delle province e fate eseguire la seconda consegna. Per ampliare, chiedete agli studenti di trovare le città dell'elenco nella cartina dell'Italia del manuale. Lasciate leggere le informazioni del terzo riquadro sui numeri romani senza dare un compito preciso, rispondete a eventuali domande ma non sollecitatene.

Info: nel sito www.paginebianche.it c'è un simpatico link Il contacognome che dà informazioni numeriche sui cognomi italiani tipici e può servirvi per elaborare divertenti attività di ampliamento.

Attività supplementari

Unità 2 **+1** **Il totolavoro**

Quando: dopo il punto A8.

Obiettivo didattico: esercitazione sulle professioni e ampliamento del lessico.

Partecipanti: due gruppi denominati A e B.

Tempo: circa 1 ora (ampliamenti compresi).

Materiale: una sola copia di pagina 38. 5 foglietti bianchi da dare a ogni studente (se si decide di fare l'ampliamento 2).

Preparazione: ritagliate le carte sul lavoro di pagina 38. Spiegate le immagini dei lavori non conosciuti e date 8 carte a ogni gruppo.

Obiettivo del gioco: vince chi indovina più lavori mimati dalle carte del gruppo avversario.

Svolgimento: prima di cominciare il gioco disponete tutte le carte sul banco e prendendole una alla volta chiedete agli studenti se conoscono il nome del lavoro rappresentato. Dopo esservi assicurati che gli studenti conoscano i nomi di tutti i lavori, dividete la classe in due gruppi, mescolate le carte e datene 8 a ogni gruppo. Dite che a turno uno studente di un gruppo si dovrà alzare e mimare il lavoro di una delle carte del gruppo avversario. Il gruppo dello studente che mima dovrà tentare di indovinare nel tempo di un minuto il lavoro. Assegnate un punto per ogni lavoro indovinato.

Ampliamento 1: al termine dell'attività, invitate i due gruppi a disporre le proprie carte sul banco, chiedete loro di scegliere, consultandosi, due lavori. Date a ogni gruppo circa 10 minuti per descrivere le immagini scelte senza dire di che lavoro si tratta. Alla fine a turno descrivono le immagini e il gruppo avversario deve indovinare, nel tempo di un minuto, a quale delle immagini degli avversari si riferisce la descrizione. Due saranno i punti assegnati per ogni descrizione associata correttamente.

Ampliamento 2: dopo il primo ampliamento potete chiedere agli studenti dei due gruppi di decidere quali sono, tra i loro 8 lavori, quelli che ritengono essere i più utili. Dando un tetto massimo di scelta di tre lavori. Quando i due gruppi hanno terminato si lasciano sul banco solo i 6 lavori scelti. Dite loro che solo un lavoro può restare e pertanto invitateli a fare una gara di eliminazione. Distribuite i foglietti bianchi dandone 5 a ogni studente e invitateli a scrivere su uno di essi il nome del lavoro che vorrebbero eliminare. Dopo che tutti hanno scritto la loro preferenza fate piegare i foglietti e ritirateli. Eseguite una sorta di estrazione, aprendo i foglietti e leggendo a voce alta il nome del lavoro scritto (per rendere l'attività più ludica potete fare alternare gli studenti in questa fase). Il lavoro più nominato è eliminato. Proseguite in questo modo finché non resterà un solo lavoro sul banco.

Nota: è possibile proporre gli ampliamenti dell'attività anche nei giorni successivi come revisione e rinforzo del lessico sui lavori.

▮ Unità 2 ▮ +2▶ Giochiamo con le parole

Quando: dopo il punto B3.

Obiettivo didattico: esercitazione sugli articoli determinativi al singolare e al plurale e ripasso del lessico delle ultime due unità.

Partecipanti: due gruppi, denominati A e B.

Tempo: circa 20 minuti.

Materiale: una copia di pagina 39 ogni due studenti della classe, da dividere in due parti: tabella A e tabella B.

Preparazione: date la tabella A, con le parole al plurale a ogni studente del gruppo A, e la tabella B, con le parole al singolare, a ogni studente del gruppo B.

Obiettivo del gioco: vince il gruppo che inserisce correttamente più parole nella tabella e ne forma il

corretto plurale o singolare.

Svolgimento: dopo aver dato a ogni studente una copia della tabella A o B, invitate a turno gli studenti di ogni gruppo a pronunciare chiaramente una delle parole al centro della tabella. Il gruppo avversario deve, nel tempo di 1 minuto, mettere la parola nella tabella superiore per poi farne il plurale o singolare, a seconda della tabella che ha, e inserirlo nella tabella sottostante; nel caso in cui l'articolo fosse corretto ma non la concordanza, ad es. *il giornalo* derivato da *i giornali*, togliete mezzo punto al gruppo. Fate da giudice assegnando un punto per ogni parola posta nella posizione corretta.

Esempio:
Studente gruppo A: *penne.*
Gruppo B: *le penne, singolare: la penna.*
Insegnante: *due punti al gruppo B.*
Studente gruppo B: *banana.*
Gruppo A: *la banana, plurale: le banane.*

▮ Unità 2 ▮ +3▶ Pesca il verbo

Quando: dopo il punto C3.

Obiettivo didattico: esercitazione sulla coniugazione dei verbi e memorizzazione.

Partecipanti: due gruppi.

Tempo: circa 30 minuti.

Materiale: un set delle carte di pagina 40 per gruppo (possibilmente incollate su un cartoncino).

Preparazione: dopo aver diviso la classe in due gruppi, date un mazzo di carte per gruppo.

Obiettivo del gioco: vince il giocatore che resta senza carte in mano.

Svolgimento: spiegate agli studenti che il mazzo di carte è composto da 15 verbi ripetuti due volte ma scritti con caratteri diversi. Mostrate loro due carte su cui c'è scritto lo stesso verbo. Ogni gruppo mescola le carte e ne distribuisce 5 per studente. A turno, ogni giocatore pesca una carta da quelle del suo vicino di destra. Se la carta pescata indica un verbo che anch'egli possiede può eliminare le due carte ponendole sul tavolo. A questo punto, per rendere efficace l'eliminazione, deve costruire una frase con il verbo indicato dalle carte. Se la frase è giudicata corretta il giocatore può scartare le due carte, in caso contrario deve tenerle in mano e attendere di nuovo il suo turno per provare a formulare la frase più correttamente. Ovviamente il giocatore alla sua sinistra, al proprio turno, potrebbe pescare dalle sue carte una delle carte doppie e in questo caso il giocatore perde la sua chance di eliminare le due carte e deve prenderne una nuova dal giocatore di destra.

Nota: nella scheda dei verbi ci sono 5 carte in bianco che potrete liberamente utilizzare per ampliare il gioco con altri verbi.

Il gioco potrà essere riproposto anche in futuro e con la possibilità di far formulare le frasi con tempi diversi, ad es. passato prossimo, imperfetto.

Unità 2 **+4** **Tombola!!!**

Quando: dopo il punto D3.

Obiettivo didattico: esercitazione sui numeri e operazioni aritmetiche.

Partecipanti: in plenum.

Tempo: circa 30 minuti.

Materiale: una sola copia del tabellone di pagina 41 e una o due cartelle di pagina 42 per ogni studente (scegliete la tabella con i simboli aritmetici se decidete di fare l'ampliamento), un contenitore, caramelle e un dolcetto.

Preparazione: date a ogni studente due cartelle sulle quali avete scritto dei numeri. Fate due copie del tabellone possibilmente in formato A3 e scriveteci sopra i numeri da 1 a 90. Tenetene uno voi, oppure se la classe è di numero dispari datelo a uno studente, e ritagliate i numeri dell'altro. Piegate i fogli e metteteli in un contenitore.

Obiettivo del gioco: vince il giocatore che per primo fa tombola.

Svolgimento: il gioco è come la tombola classica, spiegatelo alla classe con qualche esempio e spiegate il significato dei termini *ambo, terno, quaterna, cinquina, tombola*. La persona che ha il tabellone estrae i numeri e li dice ad alta voce ponendoli poi sul tabellone. Gli studenti, intanto, controllano sulle loro cartelle se hanno i numeri estratti.

Il gioco prevede 5 possibilità di vittoria graduale:
- *ambo:* 2 numeri estratti presenti sulla stessa linea della cartella.
- *terno:* 3 numeri estratti presenti sulla stessa linea della cartella.
- *quaterna:* 4 numeri estratti presenti sulla stessa linea della cartella.
- *cinquina:* 5 numeri estratti presenti sulla stessa linea della cartella.
- *tombola:* tutti i numeri delle proprie cartelle.

Il gioco termina nel momento in cui uno studente fa tombola.

Ampliamento: per un'ulteriore esercitazione potete utilizzare le cartelle con i simboli aritmetici +, x, – e, alla fine del gioco, chiedere agli studenti di calcolare i numeri sulle righe per poi fare la somma finale della colonna.

Esempio per una cartella:
$4 + 23 + 34 - 56 \times 88 = 440$
$1 \times 12 + 38 \times 67 \times 90 = 301.500$
$4 + 27 \times 30 - 55 + 78 = 953$
$440 + 301.500 + 953 = 302.893$

Nota: sia il tabellone di gioco sia le cartelle sono bianche in quanto è possibile decidere su quali numeri fare esercitare gli studenti. Nella compilazione del tabellone si consiglia di mettere i numeri in ordine crescente, es. 100, 110, 120, ecc. Oppure 11, 21, 31, ecc.

Lo stesso discorso vale per la compilazione delle cartelle che seguono un ordine in riga crescente dei numeri, esempio:
$4 - 23 - 34 - 56 - 88$
$1 - 12 - 38 - 67 - 90$
$4 - 27 - 30 - 55 - 78$

Come è tradizione nel gioco della tombola in famiglia, si possono usare delle caramelle come premi relativi all'ambo, al terno, alla quaterna e alla cinquina. Per la tombola, magari, un dolcetto.

Unità 2 **+5** **Slot machine**

Quando: dopo il punto E2.

Obiettivo didattico: esercitazione sulle preposizioni *di* + città, *a* + città, *in* + nazione.

Partecipanti: a coppie.

Tempo: circa 30 minuti.

Materiale: una copia di pagina 43 per ogni coppia di studenti, da ritagliare.

Preparazione: dopo aver ritagliato le immagini mettete dietro di esse dei simboli che servono per individuarne la posizione, mescolate le carte tenendole separate per categoria e disponetele, capovolte, davanti a ogni coppia di studenti formando quattro mazzetti.

Esempio:
NOME: carte con le persone.
CITTÀ 1: carte con l'indicazione della prima città.
CITTÀ 2: carte con l'indicazione della seconda città.
NAZIONE: carte con il profilo della nazione.

Obiettivo del gioco: vince il giocatore che compone più frasi di senso compiuto.

Svolgimento: dividete gli studenti in coppie e fateli sedere uno di fronte all'altro. Fornite a ogni coppia di studenti i 4 mazzetti di carte distinti: *Nome, Città 1, Città 2, Nazione*.
A turno, in ogni coppia, uno studente pesca una carta da ogni mazzetto e dispone le 4 carte pescate una di seguito all'altra di fronte a sé. Dopodiché dovrà formulare una frase in base alle immagini. Ogni studente avrà la possibilità di pescare 2 carte da ogni mazzetto. Quando tutte le carte saranno state pescate, gli studenti possono abbinarle per metterle in una posizione che dia un senso più preciso alla frase. Fate attenzione che le carte restino comunque sempre nella posizione della categoria cui appartengono.

Alla fine chiedete agli studenti di leggere le frasi utilizzando la sequenza che avrete scritto alla lavagna: *Nome della persona* (prima immagine, prima carta) *è di* (nome città 1, seconda carta), *vive a* (nome città 2, terza carta) *in* (nome nazione, quarta carta).
Assegnate dei punti in base alla correttezza delle frasi.

Punteggio: il punteggio da dare alle frasi è calcolato nel seguente modo:
Prima possibilità: 2 punti
Hans / Amburgo / Milano / Italia = Hans è di Amburgo, vive a Milano in Italia.
Seconda possibilità: 1 punto
Hans / Amburgo / Milano / Inghilterra = Hans è di Amburgo, vive a Milano in Inghilterra.
Terza possibilità: 0 punti
Hans / Tokio / Milano / Inghilterra = Hans è di Tokio, vive a Milano in Inghilterra.

Note: l'attività è un po' complessa, fate qualche esempio concreto usando le carte prima di fare iniziare gli studenti.

la modella

il parrucchiere

il barista

la stilista

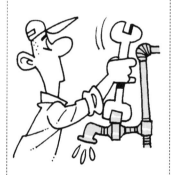

l'idraulico

l'infermiera

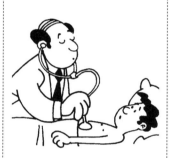

il medico

l'insegnante

l'ingegnere

l'avvocato

l'elettricista

il dentista

il poliziotto

il muratore

il cameriere

la giornalista

il	lo	la	l'

penne – chiavi – giornali – telefonini – mele – cappuccini – orologi – caffè
succhi – paste – spremute – libri – spumanti – negozi – figli

i	gli	le	Punti squadra A:

✂ --

Unità 2 +2 Giochiamo con le parole - Tabella B

i	gli	le	Punti squadra B:

spazzola – specchietto – portafoglio – caramella – banana – agendina – rossetto
tè – aperitivo – finestra – porta – pizza – gelato – aranciata – tramezzino

il	lo	la	l'

mangiare	vivere	lavorare	iniziare	arrivare
cambiare	finire	vedere	sentire	ricordare
essere	avere	fare	studiare	partire
mangiare	*vivere*	*lavorare*	*iniziare*	*arrivare*
cambiare	*finire*	*vedere*	*sentire*	*ricordare*
essere	*avere*	*fare*	*studiare*	*partire*

CaffèItalia 1 Guida per l'insegnante © ELI 2005

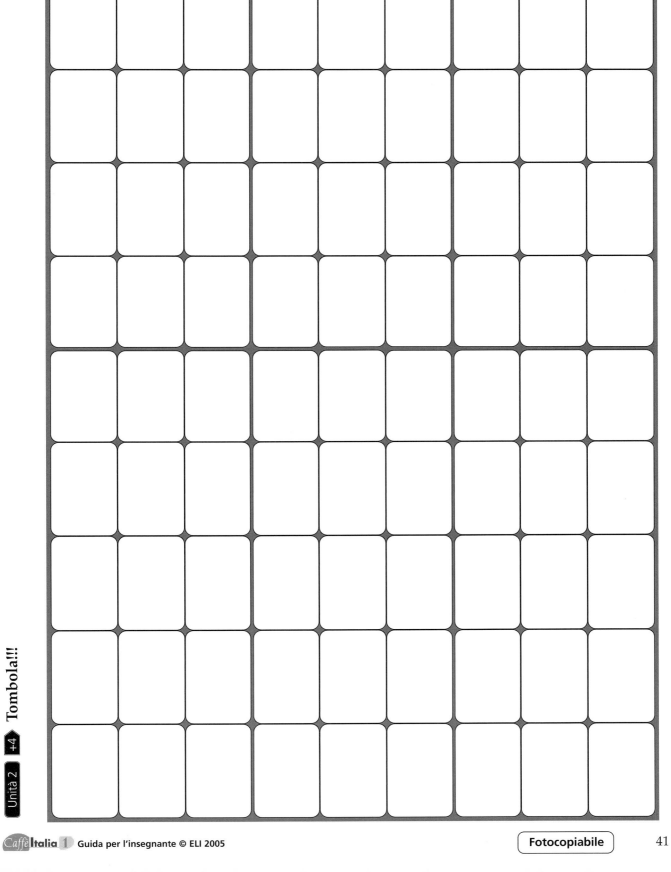

✂ --

	+		x		+		-	
	x		+		-		x	
	x		+		x		-	

PERSONA:	CITTÀ 1:	CITTÀ 2:	NAZIONE:
NAOKO	TOKYO	MILANO	ITALIA
SALLY	LONDRA	ROMA	ITALIA
HANS	AMBURGO	STOCCOLMA	SVEZIA
ANA	MADRID	BERLINO	GERMANIA

Unità 2 - Esercizi supplementari - Prima parte

1 *Completate le frasi con l'articolo.*

1. Oggi è .... 3 dicembre.

2. Luisa è .... amica di Maria.

3. .... calcio è .... sport più importante in Italia.

4. .... zaino di Marta è blu.

5. Questo è .... appartamento dove vive Keiko.

6. Questa è .... borsa dell'insegnante.

2 *Completate le frasi con le finali* **-a, -e, -o, -i.**

1. Keiko e Tomoko sono due studentesse giappones.......... .

2. Nick e Chris sono due studenti american.......... .

3. Questo appartamento è nuov.......... .

4. Tobias e Martin sono sposat.......... .

5. Carla è una bell.......... ragazza.

3 *Mettete l'articolo e trovate il plurale.*
Esempio: *tavolo* → *il tavolo* → *i tavoli*

penna	....	....
libro	....	....
ingegnere	....	....
appartamento	....	....
strada	....	....
donna	....	....
telefonino	....	....
stazione	....	....

4 *Presente dei verbi regolari. Completate le frasi.*

1. Tu non (mangiare) .... niente.

2. Antonio e Tobias (parlare) .... sempre di calcio.

3. Luca non (capire) .... niente di politica.

4. Noi (scrivere) .... molte parole italiane.

5. Voi (sentire) .... le notizie alla radio.

6. Loro (arrivare) .... sempre presto a lezione.

7. Noi (rimanere) .... a casa questa sera.

8. Io (partire) .... domani.

9. Voi (cambiare) .... i soldi.

10. Tu (preferire) .... gli spaghetti.

Unità 2 - Esercizi supplementari - Seconda parte

5 *Scegliete il verbo giusto e coniugate.*

1. Luisa (leggere/bere/mangiare) .... gli spaghetti.

2. Io (scrivere/cantare/giocare) .... a calcio.

3. La ragazza (leggere/capire/ suonare) .... il violino.

4. Noi (mangiare/leggere/fumare) .... un giornale.

5. Lo studente (giocare/telefonare/imparare) .... molte parole nuove.

6. Adriana (vendere/spendere/prendere) .... un cappuccino.

6 *Sostituite gli infiniti con le forme appropriate.*

ESSERE .... le otto. Carlo AVERE .... un appuntamento con Luca.

Lui CHIAMARE .... un taxi e ARRIVARE .... a casa di Luca.

SUONARE .... alla porta, Luca APRIRE .... e SALUTARE .... Carlo.

Luca: Ciao Carlo. ESSERE .... molto contento di vederti.

DESIDERARE (tu) .... un caffè o PREFERIRE .... un limoncello?

Carlo: PREFERIRE .... il limoncello. CENARE (noi) .... in un ristorante stasera?

Carlo: Naturalmente, e poi a ballare. AVERE (noi) .... un appuntamento con Marta alle 11.
Luca: Fantastico!

7 *Completate le frasi come nell'esempio.*
Esempio: *Marta abita* .... *San Paolo. È* ....
         Marta abita a San Paolo. È brasiliana.
napoletana – irlandese – tedesco – italiano – romana – scozzese – fiorentino – giapponese – bolognese – francese

1. Claudio abita .... Firenze. È ....

2. Luca vive .... Italia. È ....

3. Alain abita .... Francia. È ....

4. Tomoko vive .... Giappone. È ....

5. Nadia vive .... Roma. È ....

6. Paul abita .... Irlanda. È ....

7. Franco vive .... Bologna. È ....

8. Kate abita .... Scozia. È ....

9. Karl abita .... Germania. È ....

10. Lucia vive .... Napoli. È ....

8 *Completate.*

1. Sono .... Bologna .... studiare l'italiano.

2. È ....Berlino ma vive .... Francoforte.

3. Lavoriamo .... Piazza del Plebiscito .... Napoli.

4. Studio .... Laura .... superare l'esame.

5. Il negozio è .... Roma .... Via Condotti.

6. Arrivano .... Francia domani.

7. Emma abita .... Inghilterra .... il fratello.

8. Siete .... Barcellona?

Obiettivi della sezione A: primo contatto degli studenti con le frasi utili quando si gira per una città: chiedere e dare informazioni, introdurre una domanda e chiedere di ripetere.

Pag. 34, A1 – Che cosa chiedono?

Descrizione: 4 foto che rappresentano una giovane che chiede informazioni a due ragazzi vicino ad una fermata d'autobus, una persona che compra il giornale ad un'edicola, una donna che ordina un caffè in un bar, una donna che chiede informazioni ad una vigilessa urbana.

Tempo: 25 minuti.

Procedimento: Vedi **Presentazione – Attività di preascolto con l'immagine**. Se avete una classe particolarmente attiva, potete dividere gli studenti a coppie e far preparare a loro dei possibili dialoghi che poi dovranno presentare alla classe, interpretandoli.

⊙ 1.24 **Pag. 34, A2 – Chi parla?**

Descrizione: vedi A1.

Tempo: 10 minuti.

Procedimento: attività di ascolto e associazione. Vedi **Presentazione – Strategie d'ascolto. Quando si devono abbinare immagini e mini dialoghi.** Se avete fatto preparare dei dialoghi agli studenti, come suggerito qui sopra, fate fare un confronto fra i dialoghi creati dagli studenti e quelli del manuale.

⊙ 1.24 **Pag. 35, A3 – Mettiamo a fuoco**

Descrizione: vedi A1.

Tempo: 10 minuti.

Procedimento: attività di ascolto a libro aperto. Invitate gli studenti ad ascoltare di nuovo i dialoghi brevi e a sottolineare o cerchiare, durante l'ascolto, le parole e le espressioni che non capiscono. Dividete gli studenti in coppie in modo che possano aiutarsi reciprocamente, utilizzando anche le "*Frasi utili*" di pagina 13. Fate poi una verifica con tutta la classe.

Obiettivi della sezione B: rinforzo di quanto appreso in A1 e ampliamento lessicale relativo alle indicazioni stradali. Avvicinamento ad alcune espressioni idiomatiche come *Di niente, Non c'è di che, Figurati*, ecc.

⊙ 1.25 **Pag. 35, B1 – Scusi, dov'è…?**

Descrizione: piantina di una città. 4 situazioni in cui diverse persone chiedono informazioni stradali.

Tempo: 25 minuti.

Procedimento: guardate la piantina insieme agli studenti e chiedete loro se qualcuno conosce alcune espressioni legate alle informazioni stradali, ad es. *a destra, a sinistra, sempre dritto*, altrimenti introducetele aiutandovi con la piantina. Poi, prima dell'ascolto, invitate gli studenti a coppie a provare a completare i dialoghi, dicendo di non preoccuparsi se non ci riusciranno o ci riusciranno solo parzialmente. Procedete, poi, come in **Unità 1, C1**.

⊙ 1.24/1.25 **Pag. 36, B2 – Mettiamo a fuoco**

Descrizione: vedi A1 e B1.

Tempo: 25 minuti.

Procedimento: attività di ascolto e completamento. Per la tabella di grammatica dei verbi *dovere* e *potere* vedi **Presentazione – Le tabelle** e per le espressioni idiomatiche vedi **Presentazione – Tipologie dei testi di ascolto.**

Vedi **Unità 3** **+1** **Che cosa devo fare?**

Obiettivi sezione C: ampliamento lessicale relativo a ciò che si trova in città. Primo avvicinamento alle indicazioni di luogo *di fronte a, vicino a*, ecc. Per le strutture morfosintattiche, presentiamo per la prima volta *c'è* e *ci sono*.

Pag. 36, C1 – Che cosa c'è in città?

Tempo: 20 minuti.

Procedimento: invitate gli studenti a guardare la piantina a pagina 37 e assicuratevi che sia chiaro il significato delle "*parole utili*". Procedete poi come illustrato in **Presentazione – Le tabelle.**

Pag. 36, C2 – Che altro c'è in una città?

Tempo: 10 minuti.

Procedimento: chiedete ad ogni studente almeno due cose che per lui sono importanti in una città. Scrivetele alla lavagna e invitate ogni studente a posizionare le due cose che ha scelto personalmente facendo un disegno, o scrivendo il nome, nella piantina di pagina 37 del proprio libro.

Vedi **Unità 3** **+2** **Immagini a confronto**

1.26 **Pag. 37, C3 – Che cosa cercano?**

Descrizione: 4 situazioni in cui alcune persone chiedono indicazioni ad un vigile urbano. Nell'audio, i nomi dei luoghi che cercano sono coperti dal rumore del traffico.

Tempo: 15 minuti.

Procedimento: attività di ascolto. Vedi **Presentazione – Strategie d'ascolto.**

Soluzione: *Hotel Duomo, una farmacia, la stazione, un meccanico per auto (autofficina).*

Pag. 37, C4 – Ora tocca a voi!

Tempo: 25 minuti.

Procedimento: attività orale. Dividete gli studenti a coppie. Ognuno avrà una piantina differente della città perché, oltre alle cose che ci sono nel libro, avrà posizionato due elementi personali in luoghi speciali. Dovranno a turno chiedere e dare informazioni. Alla fine confronteranno le loro piantine. Si potranno aiutare con la tabella delle indicazioni di luogo dell'attività. Accertatevi che le locuzioni presenti nella tabella siano chiare e fate notare le diverse preposizioni articolate, senza scendere nel dettaglio. L'attività di messa a fuoco sulla struttura delle preposizioni articolate verrà proposta più avanti al punto F5.

Vedi **Unità 3** **+3** **In che direzione?**

Vedi **Unità 3** **+4** **Trova la strada**

Obiettivi sezione D: cominciare a conoscere i negozi e a capire come interagire negli acquisti.

Pag. 38, D1 – Dove compro? Che cosa compro?

Tempo: 20 minuti.

Procedimento: attività di preascolto. Fate lavorare gli studenti a coppie e chiedete loro di scrivere i nomi dei prodotti sotto al nome del negozio in cui è possibile comprarli. Fate poi una verifica con tutta la classe.

Info: a) in Italia le tabaccherie vendono anche il sale perché un tempo questo era sottoposto a un'imposta dello stato che richiedeva una particolare licenza di vendita; b) per spedire lettere e buste si può scegliere di utilizzare la tariffa della "*Posta prioritaria*", un po' più cara di quella ordinaria ma corrispondente a un recapito più veloce, in Italia normalmente corrispondente a un giorno.

Soluzione: *in edicola: un giornale, un biglietto dell'autobus, una cartolina; in un negozio di abbigliamento: una gonna, una giacca, una borsa; in tabaccheria: un accendino, un francobollo, una cartolina, un pacchetto di sale; in gioielleria: una collana, un orologio, un anello.*

1.27 **Pag. 38, D2 – Buongiorno, desidera?**

Descrizione: 3 differenti acquisti in tre negozi della città: *libreria, tabaccheria e pasticceria.*

Tempo: 20 minuti.

Procedimento: attività di ascolto. Vedi **Presentazione – Strategie d'ascolto.**

1.27 **Pag. 38, D3 – Mettiamo a fuoco**

Descrizione: Vedi D2.

Tempo: 20 minuti.

Procedimento: attività di ascolto e completamento.

Pag. 39, D4 – Comprare un regalo

Tempo: 20 minuti.

Procedimento: gioco di ruolo a coppie. Spiegate agli studenti che uno di loro dovrà assumere il ruolo di un/a commesso/a e leggere il suo compito corrispondente al ruolo A, l'altro interpreterà il ruolo B, di un cliente che vuole comprare un regalo, e troverà la descrizione in appendice al manuale a pagina 208. Prima di cominciare assicuratevi che tutti gli studenti abbiano ben chiaro ciò che devono fare, poi lasciateli lavorare senza intervenire se non vi chiedono aiuto.

Vedi **Unità 3** **+5** **Facciamo spese**

Obiettivi sezione E: espressioni utili quando si usa un mezzo di trasporto e lessico relativo. Imparare a chiedere e dire l'ora.

1.28 **Pag. 39, E1 – In autobus**

Descrizione: alcune persone sull'autobus, una nell'atto di suonare il campanello, un'altra sta per scendere e un'altra ancora chiede l'ora. Sull'autobus c'è anche un controllore.

Tempo: 20 minuti.

Procedimento: attività di ascolto e associazione. Vedi **Presentazione – Strategie d'ascolto. Quando si devono abbinare immagini e mini dialoghi**. Prima si può fare anche un'attività di preascolto: vedi **Presentazione – L'immagine**. Aiutatevi prendendo come spunto il lessico riportato nell'attività.

Info: spesso il biglietto dell'autobus non si può comprare nell'autobus stesso, consigliate agli studenti di informarsi prima di salire sull'autobus.

⌂ 1.29 Pag. 39, E2 – Che ora è? Che ore sono?

Descrizione: persone che chiedono e danno informazioni sull'ora.

Tempo: 15 minuti.

Procedimento: attività di ascolto e associazione. Cominciate con un'attività di preascolto in questo modo: chiedete ad uno studente di domandarvi l'ora, prendete un orologio e, mostrandolo a tutta la classe, rispondete. Cambiate varie volte l'orario e ripetete l'operazione. Sottolineate espressioni come *È l'una, È mezzogiorno, È mezzanotte*. Procedete poi come illustrato in **Presentazione – Strategie d'ascolto**. Avvertite gli studenti che il numero dei dialoghi che sentiranno è inferiore al numero degli orologi nell'attività. Alla fine per attivare potete, sempre usando un orologio, chiedere l'ora direttamente agli studenti.

Soluzione: *b 1, c 4, d 5, e 2, h 3*.

Obiettivi sezione F: in questa sezione presentiamo il presente di alcuni verbi irregolari quali *sapere*, *andare* e *venire* e introduciamo alcune preposizioni articolate. Non perdiamo di vista il lessico e forniamo due importanti espressioni idiomatiche: *andare a mani vuote* e *che ne dici di*.

⌂ 1.30 Pag. 40, F1 – Tu sai dove abita Tobias?

Descrizione: Carlo e Luca alla fermata dell'autobus. Stanno andando alla festa di Tobias e siccome sono "a mani vuote" decidono all'ultimo momento di andare a comprare del vino in enoteca.

Info: l'enoteca è un tipo di locale abbastanza nuovo nelle città italiane, vende vini e altri prodotti speciali quali cioccolato e olio di qualità scelta; in alcuni casi offre anche la possibilità di sedersi e consumare qualcosa, in altri è esclusivamente dedicata alla vendita.

Tempo: 25 minuti.

Procedimento: attività di vero o falso con ascolto. Vedi **Presentazione – Strategie di ascolto. Attività di vero o falso.**

Soluzione: 1. *sì*, 2. *sì*, 3. *no*, 4. *no*, 5. *sì*.

⌂ 1.30 Pag. 40, F2 – Mettiamo a fuoco

Descrizione: Vedi F1.

Tempo: 20 minuti.

Procedimento: attività di ascolto e completamento. Vedi **Presentazione – Strategie d'ascolto e Le tabelle**. Gli studenti potranno poi controllare la coniugazione del verbo *sapere* nella trascrizione del dialogo. Fate notare anche le espressioni idiomatiche *andare a mani vuote* e *che ne dici di* e chiedete se esistono espressioni simili anche nella loro lingua.

Vedi **Unità 3** **+6** **Sapere e potere**

⌂ 1.31 Pag. 40, F3 – Vieni anche tu con noi?

Descrizione: Carlo e Luca incontrano Maria, la sorella di Luca, e la invitano alla festa di Tobias.

Tempo: 15 minuti.

Procedimento: attività di ascolto e completamento. Vedi **Unità 1, C1**.

⌂ 1.31 Pag. 41, F4 – Mettiamo a fuoco

Descrizione: vedi F3.

Tempo: 20 minuti.

Procedimento: attività di ascolto. Focalizzate l'attenzione degli studenti sui verbi *andare* e *venire*, aiutandovi con i fumetti presenti nell'attività. Potete anche utilizzare gli studenti stessi come modelli. Procedete con il dialogo e invitate gli studenti a completare le tabelle di *grammatica attiva*. Poi fate svolgere l'esercizio, sempre a coppie. Fate notare come cambiano i pronomi personali accompagnati dalle preposizioni.

Vedi **Unità 3** **+7** **A che ora?**

Pag. 41, F5 – Mettiamo a fuoco

Tempo: 25 minuti.

Procedimento: osservate insieme a tutta la classe

come cambiano alcune preposizioni quando sono accompagnate dall'articolo. Aiutatevi con le frasi riportate nell'attività e, se volete, potete crearne voi di nuove. Quando vi sembra che gli studenti abbiano capito, fateli lavorare a coppie per completare l'esercizio.

Nota: le frasi dell'attività sono tutte riprese dai testi delle unità precedenti. Se il tempo in classe ve lo consente, potete invitare gli studenti a ritrovare la pagina del manuale in cui hanno già incontrato ogni frase, per abituarli a servirsi della tecnica della *ripresa a spirale di lessico e strutture*, vedi **Presentazione – I personaggi della "storia".**

Obiettivi sezione G: aiutare gli studenti a pronunciare le vocali nel modo più corretto possibile, facendogli notare la differenza fra vocale aperta e vocale chiusa. E cominciare a esercitare la pronuncia di –QU–.

⟨ 1.32⟩ Pag. 42, G1 – Le vocali

Tempo: 15 minuti.

Procedimento: attività di ascolto e ripetizione. Vedi **Unità 2, F1.**

⟨ 1.33⟩ Pag. 42, G2 – Quale? Questo o quello? Quanto costa? Quant'è?

Tempo: 20 minuti.

Procedimento: attività di ascolto ripetizione e completamento. Vedi **Unità 2, F1.** Alla fine date due minuti per completare i fumetti.

Soluzione: *Quanto costa?, Quale, Quale?, Quella.*

Pag. 42, G3 – Ora tocca a voi!

Tempo: 20 minuti.

Attività: prima di cominciare invitate gli studenti a pronunciare il suono corrispondente a –QUA– e –QUE–, parecchie volte rimanendo a lungo sulla –U–. Date voi l'esempio, senza temere di essere ridicoli. Dividete poi la classe a coppie e fate creare dei minidialoghi con *Quale, Quanto, Questo* e *Quello.*

Pag. 42 – L'angolo del viaggio

Descrizione: immagine di un biglietto di treno.

Tempo: 20 minuti.

Procedimento: attività orale da svolgersi a coppie. Fate osservare il biglietto agli studenti, sempre divisi in coppie, e dite di rispondere oralmente alle domande dell'attività. Fornite il lessico che vi viene richiesto. Procedete ad una verifica con tutta la classe.

Pag. 43, Italia Oggi – I mezzi di trasporto pubblico

Descrizione: nella prima parte alcuni italiani parlano dei mezzi di trasporto in città; segue un testo informativo sui vari tipi di treno.

Tempo: 30 minuti.

Procedimento: iniziate chiedendo agli studenti quali mezzi di trasporto conoscono e scriveteli alla lavagna. Formate delle coppie e fate svolgere il compito della prima parte. Quando la conversazione si esaurisce, passate alla seconda parte dell'attività. Formate delle nuove coppie e fate procedere come da consegna. Alla fine potete fare un confronto con tutta la classe dei mezzi di trasporto nei vari Paesi.

Attività supplementari

⟨Unità 3⟩ ⟨+1⟩ Che cosa devo fare?

Quando: dopo il punto B2.

Obiettivo didattico: esercitazione sul verbo *dovere*.

Partecipanti: in plenum.

Tempo: circa 15 minuti.

Preparazione: preparate una lista di domande in modo da averne due per ogni studente del gruppo, vedi esempio.

Svolgimento: dite agli studenti che siete un extraterrestre e che non sapete fare le cose più elementari. Loro vi dovranno aiutare rispondendo alle vostre domande.

Esempio: *Che cosa devo fare per spedire una lettera? Devi andare alla posta.*
Altre domande:
Che cosa devo fare
… per entrare in Internet?
… per prendere l'autobus?
… per mangiare bene?
… per andare in un'altra città?
… per vedere un film?
… per imparare una lingua straniera?

Unità 3 **+2** **Immagini a confronto**

Quando: dopo il punto C2.

Obiettivo didattico: esercitazione sull'uso di *c'è* e *ci sono*, ampliamento del lessico.

Partecipanti: a coppie.

Tempo: circa 5 minuti.

Materiale: per ogni coppia di studenti una copia di pagina 53, da tagliare in due in verticale.

Preparazione: dividete gli studenti a coppie e date a ogni coppia le due parti di pagina 53, a uno studente la parte A e all'altro la parte B.

Svolgimento: dite agli studenti che nelle immagini in loro possesso ci sono delle piccole differenze, e il compito è quello di trovarle, quindi lo studente con la parte A dice che cosa c'è nel suo foglio e l'altro conferma, o precisa che cosa c'è nel proprio. Alla fine, chiedete a ogni coppia di riassumere le differenze.

Esempio:
Studente A: *In 1a c'è un orologio.*
Studente B: *In 1b ci sono due orologi.*

Nota: ci sono alcune parole che non sono precedentemente apparse nell'unità: *tavolo, fiore, candela, porta, gatto, lavagna.*

Unità 3 **+3** **In che direzione?**

Quando: dopo il punto C4.

Obiettivo didattico: esercitazione sull'uso degli avverbi e delle locuzioni avverbiali nell'ambito delle indicazioni stradali.

Partecipanti: in due gruppi.

Tempo: circa 15 minuti (variabile).

Materiale: due set di carte con le indicazioni di direzione di pagina 54 e due cartelloni formato A3 della piantina di pagina 54.

Preparazione: dividete gli studenti in due gruppi, date a ogni gruppo una copia della piantina e un set di carte, poi scrivete anche alla lavagna le locuzioni *dritto, a destra, a sinistra.*

Obiettivo del gioco: vince il gruppo che ottiene più punti.

Svolgimento: leggete, o raccontate, la storia di una persona, ad es. Maria, che va in una città nuova e segue un itinerario, da voi precedentemente preparato. Quando dovreste usare una delle locuzioni *a destra*, *a sinistra* e *dritto*, non fatelo ma sostituite con un *"bip"* o un altro segnale, come un colpetto sul tavolo. Ogni gruppo di studenti segue il percorso da voi descritto sulla propria piantina e sta pronto a dire la locuzione giusta, mostrando anche la carta corrispondente, al posto del vostro segnale acustico. Assegnate ogni volta un punto al gruppo più veloce.

Esempio:
Per la preparazione del vostro testo osservate la piantina e decidete da dove parte e che strada far fare a Maria, ad es. *a destra c'è l'ufficio postale, poi va... e sulla sinistra c'è la banca. Poi gira ... e c'è il distributore. Continua a camminare ... e trova la stazione. Pensa di girare... e trova un cinema. E così via...*

Ampliamento: scrivete alla lavagna le locuzioni che non erano presenti nell'attività precedente: *di fronte a, davanti a, dietro a, accanto a, vicino a, in fondo a, fino a, all'angolo con* e, utilizzando la piantina fate delle domande del tipo: *Dov'è la stazione?, Dov'è il distributore?,* ecc. Gli studenti sono sempre divisi in due gruppi e per la risposta devono prenotarsi. Se la risposta data è precisa, ad es. *la banca è vicino alla stazione,* il gruppo guadagna un ulteriore punto.

Unità 3 **+4** **Trova la strada**

Quando: dopo il punto C4.

Obiettivo didattico: esercitazione sull'uso degli avverbi e delle locuzioni avverbiali nell'ambito delle indicazioni stradali.

Partecipanti: in due gruppi.

Tempo: circa 15 minuti. Più di un'ora se si utilizza l'ampliamento.

Materiale: procurarsi una piantina della città in cui si lavora.

Preparazione: dividete gli studenti in due gruppi e date a ogni gruppo una copia della piantina.

Obiettivo del gioco: trovare per primi il luogo indicato a un compagno dal gruppo avversario.

Svolgimento: dite a ogni gruppo di osservare la piantina della città e di scegliere un luogo. Quando i due gruppi sono pronti, invitate uno studente di ogni gruppo ad andare nel gruppo avversario. Ogni gruppo rivela solo a questo studente del gruppo avversario qual è il luogo scelto e questo dovrà farlo capire ai suoi compagni descrivendo a parole la strada che dalla scuola conduce a quel luogo.

Ampliamento, per i corsi in Italia: invitate gli studenti dei due gruppi a scegliere un altro luogo della città, possibilmente vicino alla scuola. Portate poi gli studenti fuori e lasciate che siano gli studenti a chiedere informazioni per sapere la strada che li porterà nel luogo indicato dal gruppo avversario. In questa fase gli studenti di ogni gruppo non mostreranno il luogo sulla piantina, ma semplicemente ne daranno il nome, ad es. *Andiamo in Via Marsala, Andiamo al museo comunale.* È importante che, prima che gli studenti dicano i nomi dei luoghi, ritiriate la piantina della città. Quando sarete fuori dite che vincerà il gruppo che per primo arriva al luogo che cerca. Quindi vi occuperete di calcolare i tempi. Ovviamente farete giocare prima un gruppo e poi un altro, magari in due giorni differenti.

Variante: potete utilizzare, invece che la piantina della città, una piantina della scuola. In questo caso l'attività sarà molto più rapida.

Unità 3 **+5** **Facciamo spese!**

Quando: dopo il punto D4.

Obiettivo didattico: esercitazione per chiedere informazioni e acquistare in un negozio.

Partecipanti: a coppie.

Tempo: circa 15 minuti.

Materiale: una copia di pagina 55 per ogni coppia di studenti, da tagliare in due.

Preparazione: dividete gli studenti in coppie e date a uno la parte con i prodotti *da comprare* e all'altro la parte con i prodotti *da vendere.*

Obiettivo del gioco: creare dialoghi in base alla lista di oggetti nelle carte.

Svolgimento: mostrate agli studenti i due tipi di liste e dite loro che lavoreranno a coppie. Uno sarà il commesso mentre l'altro il cliente. Il cliente deve comprare gli oggetti che ha sulla sua lista e il commesso può venderli solo se sono scritti sulla propria. Mentre gli studenti creano i dialoghi girate tra le coppie aiutandoli nella formulazione delle frasi

solo se lo richiedono. Alla fine chiedete di drammatizzare i dialoghi fatti.

Nota: alcune parole potranno risultare nuove, introducetele prima di cominciare: *guida turistica, braccialetto d'oro/ d'argento, con diamante, caramelle, DVD, rivista, atlante geografico, maglia, cappello, pantaloni.*

Unità 3 **+6** **Sapere e potere**

Quando: dopo il punto F2.

Obiettivo didattico: esercitazione sulle differenze tra il verbo *sapere* e il verbo *potere.* Ampliamento del lessico.

Partecipanti: a coppie.

Tempo: circa 30 minuti.

Materiale: una copia di pagina 56 e una di pagina 57 per ogni coppia.

Preparazione: dividete gli studenti a coppie e distribuite prima la fotocopia con "*Che cosa sa fare Luca*", in seguito quella con "*Che cosa può fare Luca*".

Obiettivo del gioco: osservare le immagini e dire cosa *sa fare* Luca e cosa *non sa fare*, segue attività su cosa *può fare* e cosa *non può fare.*

Svolgimento: dopo aver diviso gli studenti a coppie date loro una copia della prima pagina e scrivete alla lavagna: *Che cosa sa fare Luca?* Gli studenti osservano le immagini e rispondono. Dopo aver controllato le risposte, date loro la seconda pagina e scrivete alla lavagna: *Che cosa può fare oggi Luca?* Gli studenti guardano le immagini e rispondono. Controllate le risposte. Per ogni immagine date 3 minuti di tempo.

Soluzione: Pagina 56: *Luca sa cantare, sciare, guidare, non sa nuotare, sa usare il computer, non sa cucinare, sa ballare, non sa giocare a calcio, sa parlare cinese, non sa parlare russo, sa disegnare, sa giocare a pallacanestro, non sa volare, sa fare il caffè, sa correre.*
Pagina 57: *Luca ha il raffreddore e non può cantare. Luca non può sciare perché non c'è neve. Luca può guidare la macchina. Luca non può usare il computer perché non c'è corrente elettrica. Luca non può ballare perché c'è troppa gente in discoteca. Luca non può disegnare perché la matita è rotta. Luca può giocare a pallacanestro. Luca può fare il caffè. Luca non può correre perché ha una gamba rotta.*

Ampliamento: chiedete agli studenti di formulare 5 domande col verbo *sapere* da rivolgere a un'altra coppia. Quando avranno completato fate fare i dialoghi secondo l'esempio:

Esempio:

● *Hans tu sai guidare?*
○ *Sì, so guidare.*
● *Puoi guidare ora?*
○ *No, non posso, non ho una macchina.*

● *Hans tu sai scrivere?*
○ *Sì, so scrivere.*
● *Puoi scrivere ora?*
○ *Sì, posso.*

 **Unità 3** **+7** **A che ora?**

Quando: dopo il punto F4.

Obiettivo didattico: esercitazione sulle ore e prima introduzione della struttura *"alle + orario"* che nel manuale viene introdotta nell'unità 4.

Partecipanti: a coppie.

Tempo: circa 15 minuti.

Materiale: una copia di pagina 58 e una copia di pagina 59, da tagliare a metà, per coppia.

Preparazione: dividete gli studenti a coppie e date loro la copia con le immagini della prima pagina con le azioni illustrate. Poi ad uno studente darete la parte A e all'altro la parte B dell'agenda con il programma della giornata di Nicoletta.

Obiettivo del gioco: chiedere l'ora in base alle immagini, ripasso indiretto del verbo *andare*.

Svolgimento: prima di distribuire agli studenti, divisi in coppie, la copia delle agende, mostrate loro le immagini della prima pagina e chiedete che cosa fa Nicoletta. Scrivete alla lavagna tutte le parole che serviranno per descrivere le azioni delle immagini, ad es. *gioca a tennis, è a letto e dorme, va in farmacia.* Dopo aver dato il lessico dite che uno di loro osserverà le immagini e chiederà al suo compagno a che ora Nicoletta svolge ogni attività rappresentata, ad es. *A che ora Nicoletta oggi gioca a tennis?* L'altro studente avrà l'agenda contrassegnata con A e risponderà alle domande, ad es. *Nicoletta oggi gioca a tennis alle 17 e 20.* Quando la coppia ha terminato dite agli studenti di invertire i ruoli dando allo studente che ha fatto le domande l'agenda contrassegnata con B. Al termine dell'attività potete fare voi una domanda a ogni studente, sempre in base alle immagini.

Ampliamento: potete chiedere agli studenti di farsi delle domande su abitudini personali, ad es. *A che ora mangi la sera?, A che ora vai a dormire?*, ecc.

1a

1b

2a

2b

3a

3b

4a

4b

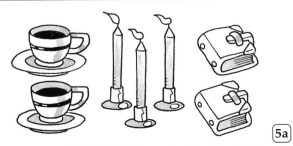

5a

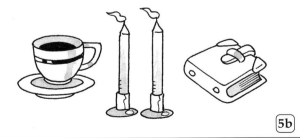

5b

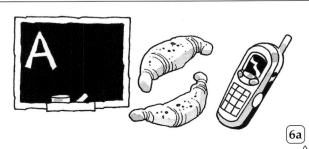

6a

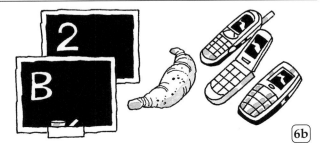

6b

A DESTRA | A SINISTRA | DRITTO

Caffè Italia 1 Guida per l'insegnante © ELI 2005

Da comprare:

In libreria	In gioielleria	Nel negozio di abbigliamento
grammatica di italiano	anello	giacca
libro	collana	gonna rossa
dizionario	orologio	maglia
guida turistica	braccialetto d'oro	cappello

In tabaccheria	In edicola	In pasticceria
accendino	giornale	torta
caramelle	rivista Ciao Italia	pasta
cartolina	DVD	cioccolatini al latte
francobollo da 10 centesimi	cartolina	caramelle

✄ -

Da vendere:

In libreria	In gioielleria	Nel negozio di abbigliamento
atlante geografico	anello con diamante	giacca
libro	collana	gonna blu
dizionario	orologio	pantaloni
piantina turistica della città	braccialetto d'argento	cappello

In tabaccheria	In edicola	In pasticceria
accendino	giornale	torta
penne	rivista Buongiorno Italia	pasta
cartolina	DVD	cioccolatini al latte
francobollo da 45 centesimi	libro	cornetto

La giornata di Nicoletta - A

0-7		**14**	*14,00 leggere un libro*
7	*7,15 fare colazione*	**15**	*15,50 andare in farmacia*
8	*8,00 andare alla stazione*	**16**	
9		**17**	*17,20 giocare a tennis*
10		**18**	
11		**19**	
12	*12,30 andare al parco*	**20**	*20,40 andare al cinema*
13		**21-24**	*24,00 andare a dormire*

La giornata di Nicoletta - B

0-7		**14**	
7	*7,45 fare colazione*	**15**	
8	*8,00 andare alla stazione*	**16**	*16,10 andare in farmacia*
9	*9,00 andare a scuola*	**17**	
10		**18**	*18,35 giocare a tennis*
11		**19**	
12	*12,00 andare al parco*	**20**	
13	*13,15 leggere un libro*	**21-24**	*22,30 andare al cinema* *23,50 andare a dormire*

Unità 3 - Esercizi supplementari - Prima parte

1 *Maria è per strada e non sa dov'è Piazza San Francesco. Le risposte della ragazza sono in disordine, riordinatele.*

Maria: **Dov'è Piazza San Francesco?**
Ragazza: ☐ Sì, con l'autobus circa dieci minuti.
Maria: **È lontano?**
Ragazza: ☐ Di niente. Figurati!
Maria: **Dov'è la fermata dell'autobus?**
Ragazza: ☐ Ogni dieci minuti.
Maria: **Passa spesso l'autobus?**
Ragazza: ☐ Devi andare sempre dritto, giri a sinistra e poi a destra e dopo duecento metri trovi la Piazza. È un po' complicato.
Maria: **Dove compro il biglietto?**
Ragazza: ☐ È di fronte. Lì, vicino alla libreria.
Maria: **Grazie mille!**
Ragazza ☐ All'edicola o dal tabaccaio.

2 *Inserite nel testo della cartolina* **c'è** *o* **ci sono.**

Che meraviglia Venezia! Devi venire anche tu. Oggi .... un sole fantastico e nella città .... il Festival del Cinema, Venezia è veramente unica! L'unica cosa è che .... troppi turisti, e non .... spazio per tutti! Al Lido .... gli attori famosi. Quando torno, ti mostro le fotografie, soprattutto una dove .... Tom Cruise, ma naturalmente .... anche quelle con Piazza San Marco.
Baci e a presto,
Sandra

3 *Completate il dialogo con* **andare** *e* **venire.**

● Paola, ... con noi al cinema?

○ Dove .... ?

● .... al Cristallo a vedere l'ultimo con Benigni. Poi, forse, andiamo a mangiare una pizza.

○ .... con voi anche Lino?

● Penso di sì.

○ Mi dispiace, ma io non .... con voi. Lino è un tale antipatico!

4 *Giuliana lascia un biglietto a Luca. Completate il testo.*

Caro Luca, (tu, potere) .... andare dalla mia amica Lisa? Per favore! (tu, dovere) .... chiedere se (lei, potere) .... dirmi dov'è la biblioteca di italianistica, dove vendono i libri per l'esame: non (io, sapere) .... neanche quando è aperta. Per favore aiuto! È l'ultimo esame e (io, dovere) .... finire di scrivere la tesi. Non (io, potere) .... perdere tempo.
Grazie. Sei un amico.
Baci Giuliana

Caffè**Italia** 1 Guida per l'insegnante © ELI 2005

Unità 3 - Esercizi supplementari - Seconda parte

5 *Abbinate l'oggetto con il negozio dove lo si può comprare.*

L'accendino   all'edicola
La gonna   in pasticceria
Una torta alla crema   al bar
Un caffè   in un negozio di abbigliamento
Un biglietto dell'autobus   in cartoleria
Un'agenda e una penna   in tabaccheria

6 *Che ore sono? Abbinate le ore con l'attività.*

Bevo un cappuccino.   Sono le venti e trenta.
Vado al cinema.   Sono le tredici e cinque.
Mangio gli spaghetti.   Sono le sette e mezza.
Vado in discoteca.   Sono le ventidue e venti.
Finisco di lavorare.   Sono le sedici e quaranta.

7 *Completate le frasi.*

1. Ryan viene .... San Francisco.   Ryan .... di San Francisco.

2. Xavier viene .... Spagna.   Xavier è ....

3. L'insegnante viene .... Bologna.   L'insegnante è .... Bologna.

4. Masako viene .... Giappone.   Masako è ....

5. John viene .... Stati Uniti.   John è ....

6. Paul viene .... Oxford.   Paul .... di Oxford.

7. Paul e Alex vengono .... Londra.   Paul e Alex .... di Londra.

8. Noi veniamo .... Francia.   Noi siamo ....

9. Venite .... Brasile?   Sì, ... di San Paolo.

8 *Trovate gli errori e riscrivete le frasi corrette.*

1. Massimo viene di Bologna.   ....

2. Carlotta è di Venezia.   ....

3. Matteo lavora in farmacia.   ....

4. Adriano viene da Brasile.   ....

5. Andiamo a Firenze con gli studenti. ....

6. Siamo a Giappone, in Tokyo.   ....

7. Domani vado in Parigi.   ....

8. Io vivo a Roma.   ....

9. I due studenti giapponesi sono da Osaka. ....

10. Il Cremlino è in Mosca in Russia. ....

Obiettivi sezione A: aiutare gli studenti a muoversi all'interno di un ristorante: come prenotare un tavolo, chiedere il menù, chiedere consigli e informazioni su un piatto.

Pag. 44, A1 – Quale di questi locali vi piace di più?

Descrizione: 4 immagini in 4 locali diversi. *In pizzeria:* un ragazzo e una ragazza, appena entrati si guardano attorno, la ragazza guarda un tavolo in un angolo vicino a loro, mentre il ragazzo indica che più avanti c'è un altro tavolo libero sotto al cartello *"vietato fumare"*. *Al ristorante:* un cameriere elegante sta rispondendo al telefono. *In trattoria:* una signora sola seduta al tavolo e accanto a lei una donna, che potrebbe essere anche la persona che gestisce la trattoria anziché una semplice cameriera, che le porge il menù. *In osteria:* c'è il gestore che accoglie una coppia e indica un tavolo libero.

Tempo: 15 minuti.

Procedimento: attività orale. Fate osservare le immagini agli studenti, chiedete se qualcuno ne conosce i nomi e fate domande del tipo: *Quale ti piace di più, il ristorante o l'osteria?* Invitateli a rispondere come da esempio sul libro. Sempre basandovi sulle immagini, provate ad avviare una breve conversazione chiedendo loro quali sono gli elementi che distinguono e caratterizzano questi tipi di locali. In questo momento non date nessun tipo di spiegazione grammaticale, se qualche studente ve la chiede dite pure che lo vedrete insieme più tardi. Se la classe è particolarmente attiva, fate lavorare gli studenti in coppia: ogni studente descriverà all'altro il proprio locale preferito, spiegandone le ragioni.

🎧 1.34 **Pag. 44, A2 – Dove sono?**

Descrizione: 4 situazioni: nella prima il Sig. Freddi telefona al ristorante "Da Mario" per prenotare un tavolo; nella seconda due persone scelgono un tavolo; nella terza un cameriere accoglie due clienti e nell'ultima una signora chiede consigli sul menù e ordina.

Tempo: 25 minuti.

Procedimento: attività di ascolto e collegamento. **Vedi Presentazione – Strategie d'ascolto. Quando si devono abbinare immagini e mini dialoghi.**

Soluzioni: 1: *Al ristorante,* **2:** *In pizzeria,* **3:** *In osteria,* **4:** *In trattoria*

🎧 1.34 **Pag. 44, A3 – Chi parla?**

Descrizione: vedi **A2**.

Tempo: 25 minuti.

Procedimento: attività di ascolto. Vedi **Presentazione – Strategie d'ascolto. Quando si devono abbinare immagini e mini dialoghi.** Gli studenti troveranno poi la soluzione nell'attività seguente.

Soluzioni: 1: *cliente,* **2:** *ragazzo,* **3:** *cameriere,* **4:** *cliente – cameriera – cameriera.*

🎧 1.34 **Pag. 45, A4 – Mettiamo a fuoco**

Descrizione: vedi **A2**.

Tempo: 30 minuti.

Procedimento: vedi **Unità 2, A7**.

Obiettivi sezione B: continuiamo a introdurre gli studenti nell'ambiente del ristorante presentando anche un elemento morfosintattico importante come i pronomi diretti alla terza persona singolare e plurale. Diamo anche la coniugazione completa del verbo *fare* e per revisione riprendiamo l'articolo determinativo.

Pag. 46, B1 – Conoscete questi piatti tipici italiani?

Descrizione: immagini di vari piatti tipici italiani.

Tempo: 15 minuti.

Procedimento: potete cominciare con un brainstorming, chiedendo agli studenti tutti i piatti italiani che conoscono. Scriveteli alla lavagna e poi confrontateli con quelli dell'attività. *Sono gli stessi? Ce ne sono alcuni che non conoscono?* Riprendete e fate attivare l'espressione vista in **A1**: *Mi piace di più...* chiedendo qual è il loro piatto preferito e perché. Divideteli poi a coppie e fate eseguire le consegne del libro.

🎧 1.35 **Pag. 46, B2 – Avete già scelto?**

Descrizione: in un ristorante due clienti ordinano.

Tempo: 15 minuti.

Procedimento: attività di ascolto. **Vedi Presentazione – Strategie d'ascolto. Dialoghi lunghi.**

🎧 1.36 **Pag. 46, B3 – Come sono le lasagne?**

Tempo: 15 minuti.

Descrizione: attività di ascolto e associazione. Vedi **Strategie di ascolto**. Dopo la consueta verifica, cominciate a focalizzare l'attenzione degli studenti sui pronomi diretti. Invitateli, sempre divisi in coppie, a ritornare sulle frasi dell'attività e a sottolineare le "paroline" che sono utilizzate per evitare le ripetizioni. Dite loro che alla domanda *Come sono le lasagne?* sarebbe molto innaturale rispondere *Buonissime. La nostra cuoca bolognese fa le lasagne.* Passate poi all'attività successiva.

Soluzioni: 1. *Buonissime. Le...,* **2.** *È speciale. La...,* **3.** *Eccellenti. Li...,* **4.** *Molto buono. Lo...*

Pag. 47, B4 – Mettiamo a fuoco

Tempo: 15 minuti.

Procedimento: attività di completamento a coppie. Dite agli studenti che si possono aiutare con la coniugazione del verbo *fare* riportata nella stessa pagina del libro. Segue un esercizio di rinforzo.

Vedi **Unità 4** **+1** **Chi lo fa?**

Pag. 47, B5 – Ora tocca a voi!

Tempo: 15 minuti.

Procedimento: vedi **Unità 2, A5.** Alla fine dell'attività gli studenti dovranno drammatizzare i loro dialoghi di fronte alla classe. Create un'ambientazione verosimile sistemando gli studenti come se fossero seduti a vari tavoli di un ristorante. Se possibile portate bicchieri, piatti, posate, magari di carta. Potete procurarvi alcuni menù originali.

Vedi **Unità 4** **+2** **Al ristorante**

Obiettivi sezione C: chiedere e dare informazioni sulle proprie abitudini alimentari. Si introducono anche alcune espressioni idiomatiche, quali: *restare leggero/a, scappo fuori* e la struttura *"alle + orario"*.

Pag. 47, C1 – Dov'è ? A che ora mangia?

Descrizione: tre immagini in cui vediamo un ragazzo che cucina a casa, una ragazza in una mensa universitaria e un uomo che fa colazione in un bar.

Tempo: 15 minuti.

Procedimento: invitate gli studenti ad osservare le immagini e a descriverle. Divideteli poi a coppie e fate svolgere l'attività come da consegna.

Soluzioni: 1. *b,* **2.** *a,* **3.** *c.*

⌂ 1.37 Pag. 48, C2 – Dove mangiano Maria e Carlo? A che ora?

Descrizione: Maria e Carlo parlano delle loro abitudini alimentari.

Tempo: 25 minuti.

Procedimento: attività di ascolto e di completamento. Vedi **Presentazione – Strategie di ascolto. Dialoghi lunghi.**

⌂ 1.37 Pag. 48, C3 – Maria o Carlo?

Descrizione: vedi **C2**.

Tempo: 20 minuti.

Procedimento: attività di ascolto e di completamento. Vedi **Presentazione – Strategie di ascolto. Dialoghi lunghi.** È bene informare subito gli studenti che le frasi che sentiranno non sono in ordine.

⌂ 1.37 Pag. 48, C4 – Mettiamo a fuoco

Descrizione: vedi **C2**.

Tempo: 25 minuti.

Procedimento: ascolto e parziale ricostruzione del dialogo, vedi **Unità 2, C2.** Fate ricostruire le frasi dove appaiono le espressioni idiomatiche riportate nell'attività, che andrà svolta a libro chiuso. Per gli studenti non dovrebbe essere troppo difficile in quanto le frasi da ricostruire sono già state viste nell'attività precedente. A coppie, poi, fate completare la coniugazione dei verbi *mangiare* e *preferire* presenti nella tabella di *grammatica attiva*: non è necessario soffermarsi troppo sulla particolare irregolarità di *mangiare*: lasciate che siano gli studenti a notarla.

Pag. 49, C5 – Ora tocca a voi!

Tempo: 25 minuti.

Procedimento: attività orale. Vedi **Unità 2, A5.**

Obiettivi sezione D: invitare gli studenti a parlare dei propri gusti alimentari utilizzando le espressioni *mi piace, non mi piace, mi piacciono, non mi piacciono*.

Pag. 49, D1 – Mi piace... mi piacciono...

Tempo: 20 minuti.

Procedimento: potete trasformare questa attività in un gioco a squadre. Dividete la classe in due gruppi che dovranno leggere e dedurre quale piatto è gradito a tutti i ragazzi. La squadra che indovina per prima vince. Alla fine, questa volta a coppie, dovranno completare la tabella di *grammatica attiva*. Verificate che tutti comprendano l'uso di *mi piacciono* collegato a un sostantivo al plurale. Il sostantivo è il soggetto grammaticale della frase, anche se viene percepito come l'"*oggetto*" della preferenza, "*la cosa che si ama*".

Soluzione: *le tagliatelle.*

Pag. 49, D2 – Ora tocca a voi!

Tempo: 20 minuti.

Procedimento: chiedete agli studenti di pensare ad una lista di piatti che a loro piacciono e una lista di piatti che invece non gradiscono e invitateli a riportarli per iscritto nelle colonne due sotto gli "*smile*". Alla fine formate delle coppie e stimolate gli studenti a parlare dei loro gusti.

Vedi **Unità 4** **+3** **Mi piace, e a te?**

Vedi **Unità 4** **+4** **Mi piace questo, ma non quello**

Obiettivi sezione E: ampliare il vocabolario che appartiene al tema dell'unità e chiarire la differenza fra *buono* e *bene*. Reclamare al ristorante. Rinforzo di *c'è - ci sono* Espressioni idiomatiche: *Accidenti!, … per niente, Non è colpa mia.*

Pag. 50, E1 – Il tavolo è pronto!

Tempo: 20 minuti.

Procedimento: anche quest'attività può essere trasformata in gioco a squadre. Gli studenti dovranno completare l'elenco degli oggetti che ci sono sulla tavola apparecchiata che compare nell'immagine. Ogni risposta esatta varrà un punto. Vince la squadra che alla fine ha accumulato più punti. Le parole sono già presenti nell'unità, ma gli studenti, se ne conoscono, possono aggiungerne altre.

🎧 1.38 Pag. 50, E2 – La bruschetta è bruciata!

Descrizione: Giorgio, un amico di Carlo, si lamenta con un cameriere.

Tempo: 25 minuti.

Procedimento: attività di ascolto e risposta alle domande. Vedi **Presentazione. Strategie d'ascolto. Dialoghi lunghi.**

🎧 1.38 Pag. 50, E3 – Mettiamo a fuoco

Descrizione: vedi E2.

Tempo: 30 minuti.

Procedimento: attività di ascolto e completamento. Vedi **Presentazione – Strategie d'ascolto. Tabelle.** Attirate l'attenzione degli studenti sulla differenza fra *buono* e *bene* e cercate di chiarirla con diversi esempi e poi fate completare la tabella di *grammatica attiva*. Invitateli poi a svolgere, sempre a coppie, l'esercizio di rinforzo: "*buono o bene?*". Fate notare anche le espressioni idiomatiche: *Accidenti!, …per niente, Non è colpa mia*! e lasciate qualche minuto per scrivere le frasi corrispondenti nella lingua di ogni studente.

🎧 1.39 Pag. 51, E4 – Il conto o lo scontrino?

Descrizione: una signora desidera un cappuccino al bar, ma il barista le chiede di fare prima lo scontrino alla cassa; un cliente in un ristorante si accorge di un errore nel conto e la cameriera dice che controllerà subito.

Tempo: 20 minuti.

Procedimento: attività di ascolto e completamento. Vedi **Presentazione – Strategie d'ascolto. Quando si devono individuare singole parole.**

Obiettivi della sezione F: introdurre alcuni usi della preposizione *da*: provenienza e professione.

Pag. 51, F1 – Dove? Da dove?

Tempo: 15 minuti.

Procedimento: gioco a coppie. Gli studenti dovranno rispondere alle 4 domande. Vince la squadra che nel minor tempo possibile dà più risposte corrette.

Pag. 52, F2 – Mettiamo a fuoco

Tempo: 15 minuti.

Procedimento: è un semplice esercizio di trascrizione dell'attività precedente che gli studenti possono fare a coppie. Fate osservare l'uso della preposizione *da* aiutandovi con il riquadro grammaticale al lato dell'attività.

Vedi **Unità 4** **+5** **Andiamo dalla mamma!**

Obiettivi della sezione G: incoraggiare gli studenti ad applicare l'accento intonativo nella lingua parlata.

⌂ 1.40 **Pag. 52, G1 – Gruppi di parole**

Tempo: 20 minuti.

Procedimento: attività di ascolto e ripetizione. Vedi **Unità 2, F1**. Evidenziate anche l'importanza di non pronunciare le parole di una frase in modo staccato, isolato, ma di fare invece seguire le sillabe una all'altra in un flusso continuo, quasi cantato.

Pag. 52, L'angolo del conto

Descrizione: menù di un ristorante (a pag. 46) e ricevuta fiscale di un ristorante.

Info: per una legge relativa al controllo fiscale il cliente è tenuto a conservare la ricevuta fino a dopo l'uscita dal locale. Questo vale sia per i ristoranti che per i bar.

Tempo: 20 minuti.

Procedimento: invitate gli studenti, a coppie, a guardare bene i prezzi del menù di pagina 46 e la ricevuta del cliente. Facendo alcuni calcoli dovrebbero riuscire a risalire ai piatti ordinati e al numero di persone che hanno consumato.

Pag. 53, Italia Oggi – Italia DOC

Descrizione: gli italiani a tavola

Tempo: 30 minuti.

Procedimento: fate un brainstorming chiedendo agli studenti tutte le parole che conoscono legate al cibo e scrivetele alla lavagna. Invitateli poi a leggere il testo sottolineando il fatto che non è importante che capiscano tutte le parole. Procedete poi come da consegna. Alla fine chiedete se hanno notato delle differenze fra le abitudini italiane e quelle del loro paese.

Attività supplementari

Unità 4 **+1** **Chi lo fa?**

Quando: dopo il punto B4.

Obiettivo didattico: esercitazione sui pronomi diretti atoni di terza persona singolare e plurale.

Partecipanti: a coppie.

Tempo: circa 20 minuti.

Materiale: una copia con la parte A a pagina 68 e con la parte B a pagina 69 per ogni coppia.

Preparazione: fate lavorare gli studenti a coppie. Date a uno studente di ogni coppia la parte A e all'altro la parte B.

Svolgimento: dopo aver dato a ogni studente una copia A o B, invitate a turno gli studenti a fare delle domande osservando i disegni e chiedendo al compagno chi compra l'oggetto disegnato. Il compagno trova le risposte nelle frasi della sua copia sotto le immagini, legge in silenzio le frasi e risponde mettendo il pronome al posto dell'oggetto.

Esempio:
Studente con parte A: *Chi compra i cioccolatini?*
Studente con parte B: *Li compra Marina.*

Ampliamento: si può utilizzare questa attività anche per un ripasso dei nomi dei negozi e delle preposizioni. In tal caso lo studente chiede anche dove compra l'oggetto.
Studente A: *Chi compra i cioccolatini?*
Studente B: *Li compra Marina.*
Studente A: *Dove li compra?*
Studente B: *In pasticceria.*

Unità 4 **+2** **Al ristorante**

Quando: dopo il punto B5.

Obiettivo didattico: ordinare al ristorante.

Partecipanti: a coppie.

Tempo: circa 30 minuti (variabile se si fa fare la drammatizzazione).

Materiale: 1 copia di pagina 70 per coppia, che dovrete tagliare in due parti.

Preparazione: dividete gli studenti in coppie e date a ogni coppia un menù da completare, che si trova nella parte inferiore della copia di pagina 70. Tenete voi la parte superiore con le *Situazioni* A e B: la distribuirete in un secondo momento.

Svolgimento: come attività preparatoria chiedete agli studenti di creare un menù composto da 3 antipasti, 3 primi, 3 secondi e 3 dessert che utilizzeranno poi nei loro dialoghi. Dopo che hanno completato il menù, distribuite a ogni coppia la parte della copia di pagina 70 con le *Situazioni* A e B. Gli studenti devono alternarsi nel ruolo di cliente e cameriere, *"andare al ristorante"* e preparare due dialoghi: uno secondo le indicazioni per la Situazione A e l'altro secondo le indicazioni per la situazione B. Alla fine potete chiedere di drammatizzare i dialoghi per il resto della classe.

Ampliamento: le *Situazioni* A e B indicano alcune condizioni che devono essere rispettate nel creare i dialoghi. Potete variare l'attività proponendo voi altre situazioni con parole diverse, per esempio potete proporre due situazioni in cui il cliente protesta.

Unità 4 **+3** Mi piace, e a te?

Quando: dopo il punto D2.

Obiettivo didattico: uso del verbo *piacere* col pronome indiretto atono *mi* oppure con la preposizione e il pronome tonico o il nome: *a te, a Karin*.

Partecipanti: a coppie.

Tempo: circa 30 minuti.

Materiale: 1 copia di pagina 71 per ogni studente.

Preparazione: date a ogni studente una copia di pagina 71.

Svolgimento: dopo aver distribuito le copie, dite agli studenti che devono completare i fumetti, indicando cosa piace e cosa non piace loro per i 4 argomenti. Date circa 15 minuti di tempo e poi fate formare delle coppie. Gli studenti si dovranno fare domande per completare le frasi nella parte inferiore della loro copia con le informazioni che riguardano il compagno. Al termine dell'attività potete far domande in plenum per valutare l'utilizzo delle strutture.
Esempio:
Studente A chiede a studente B: *Che cosa ti piace nel lavoro?*
Studente B risponde: *la puntualità.*
Studente A scrive: *A "nome dello studente B" piace la puntualità nel lavoro.*

Nota: ricordate agli studenti che devono utilizzare alternativamente le strutture *mi piace - mi piacciono* a seconda della forma singolare o plurale della "cosa

che piace". Notate che l'attività può prevedere anche l'uso di un verbo all'infinito dopo *piacere*: per evitare incertezze potete anticipare un esempio con questa struttura prima di cominciare l'attività.

Unità 4 **+4** Mi piace questo, ma non quello

Quando: dopo il punto D2.

Obiettivo didattico: uso del verbo *piacere* col pronome indiretto *mi*.

Partecipanti: in plenum.

Tempo: circa 20 minuti.

Materiale: molti foglietti bianchi, un contenitore.

Preparazione: date a ogni studente 3 foglietti bianchi.

Obiettivo del gioco: vince chi ottiene più punti.

Svolgimento: invitate ogni studente a scrivere su ogni foglietto una cosa che gli piace e una che non gli piace usando la struttura: *mi piace/mi piacciono…, ma non mi piace/non mi piacciono … .* Fate poi piegare i foglietti, che saranno anonimi, e ritirateli riponendoli in un contenitore. A questo punto dite che leggerete un foglietto alla volta e loro dovranno indovinare chi lo ha scritto. Se lo studente che prova a rispondere indovina, guadagna un punto.

Nota: ricordate agli studenti di scegliere *mi piace* o *mi piacciono* sempre in base al nome che utilizzano dopo.
Alla fine dell'attività potete utilizzare i foglietti scritti per fare una valutazione dell'uso delle strutture, insieme alla classe, con le frasi che sono state scritte in modo errato.

Unità 4 **+5** Andiamo dalla mamma!

Quando: dopo il punto F2.

Obiettivo didattico: ripasso delle preposizioni con il verbo *essere*.

Partecipanti: in due gruppi.

Tempo: circa 30 minuti, circa 1 ora con gli ampliamenti.

Materiale: una copia in formato A3 del tabellone di pagina 72 per ogni gruppo, un dado e diverse pedine.

Preparazione: date a ogni gruppo una copia del tabellone e un dado, e una pedina a ogni studente.

Obiettivo del gioco: vince chi arriva prima dalla mamma, in Italia.

Svolgimento: dite agli studenti di interpretare Marco, un italiano che vive in Germania ma che vuole andare a trovare la mamma in Italia. Il tabellone rappresenta il percorso che fa Marco. A ogni turno si lancia il dado e si avanza sul tabellone. Arrivati su una casella bisogna riconoscere l'immagine e dire ad alta voce dove si trova Marco, ad es. *in edicola, da Franco, al Bancomat*. Se la frase non è corretta si deve stare fermi un turno. Vince lo studente che per primo arriva dalla mamma.

Ampliamento 1: potete complicare il gioco dando una somma di 80 € che servirà per fare il viaggio. Ogni volta che si giunge su una casella a pagamento si devono pagare 20 €. Se si risponde esattamente però, si ha uno sconto del 50%. Le caselle a pagamento sono: l'*edicola*, la *stazione*, il *ristorante*, l'*autobus*, la *gioielleria*, l'*ospedale*, il *taxi*. Attenzione: nel secondo autobus c'è un ladro che ruba il portafoglio… si perdono tutti i soldi in possesso. Se uno studente non ha i soldi per pagare, deve stare fermo un turno. Ci sono due caselle dove gli studenti possono prelevare 50 €: *Milano* e *il bancomat*. Con questo ampliamento, dopo la casella Milano, gli studenti possono decidere di usare i punti 1 - 2 - 3 del dado per tornare indietro (non con i punti 4 - 5 - 6).

Ampliamento 2: Il tabellone rappresenta non solo il percorso del personaggio dalla Germania alla casa della mamma, ma una vera storia che potete chiedere agli studenti di ricostruire in forma scritta.

Storia: Marco esce di casa e va a salutare l'amico Franco e poi va in un caffè e infine alla stazione. Prende un treno e dopo Monaco va nel vagone ristorante per il pranzo. Passa l'Austria poi arriva a Milano. Qui scende e chiede informazioni in un ufficio turistico, va in edicola e poi prende l'autobus. Si ferma in città per comprare un regalo alla mamma in gioielleria. Mentre attraversa le strisce pedonali viene investito e portato al pronto soccorso. Uscito prende l'autobus, ma qui gli rubano il portafoglio. Va, allora, alla polizia e poi al Bancomat per prendere dei soldi. Infine decide di prendere un taxi per andare dalla mamma.

Paolo compra le penne.
Maria compra la panna.
Luca compra le zucchine.
Anna compra una spazzola.
Enzo compra un libro.
Antonio compra un DVD.
Nicola compra una maglia.
Stefano compra le caramelle.

Massimo compra il giornale.
Marina compra un succo d'arancia.
Barbara compra un tavolo.
Giulio compra un biglietto dell'autobus.
Andrea compra un cornetto.
Monica compra uno zaino.
Giuseppe compra i pantaloni.
Fabrizio compra un televisore.

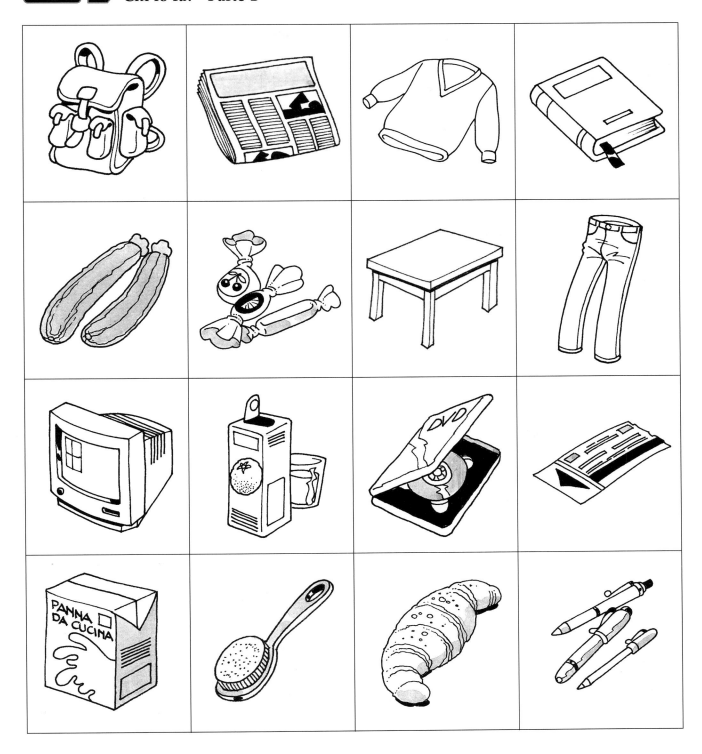

Massimo compra una valigia.
Maria compra una collana.
Elisa compra un dizionario.
Luca compra gli anelli.
Anna compra un cellulare.
Enzo compra il caffè.
Antonio compra l'acqua.
Nicola compra una gonna.

Fabrizio compra la camicia.
Marina compra i cioccolatini.
Marta compra gli orecchini.
Barbara compra i pomodori.
Giulio compra una torta.
Andrea compra le matite.
Monica compra una macchina.
Gianna compra le scarpe.

Situazione A:	Situazione B:
• 1 persona • tavolo vicino alla finestra • fumatori • non mangia carne • molta fretta	• 3 persone • bambino di due anni • non fumatori • non mangia pesce • vino rosso

Menù

Antipasti

....

....

....

Secondi piatti

....

....

....

Primi piatti

....

....

....

Dessert e dolci

....

....

....

Nel lavoro

mi piace / mi piacciono	non mi piace / non mi piacciono
....	....
....	....
....	....

Nel tempo libero

mi piace / mi piacciono	non mi piace / non mi piacciono
....	....
....	....
....	....

A tavola

mi piace / mi piacciono	non mi piace / non mi piacciono
....	....
....	....
....	....

Della mia città

mi piace / mi piacciono	non mi piace / non mi piacciono
....	....
....	....
....	....

A .... piace / piacciono

.... nel lavoro,

.... nel tempo libero,

.... a tavola,

.... della sua città.

A .... non piace / piacciono

.... nel lavoro,

.... nel tempo libero,

.... a tavola,

.... della sua città.

Unità 4 - Esercizi supplementari - Prima parte

1 *Collegate le frasi per formare dei mini dialoghi al ristorante.*

1. Posso avere solo un contorno?
2. Avete già il menù?
3. Volete qualcos'altro?
4. Che cosa prendete da bere?
5. Posso avere il conto, per favore?

a. Certo, lo porto subito.
b. Certo, facciamo una porzione più grande.
c. Sì, grazie. Due caffè e una grappa.
d. Un litro di vino rosso.
e. Sì, ma non c'è la lista dei vini.

2 *Scegliete il pronome corretto e completate.*

1. ● Carlo prende la pizza? ○ No, non .... (la/lo) prende.

2. ● Chi prende gli spaghetti? ○ .... (li/le) prende Marta.

3. ● Domani vedi i tuoi amici? ○ No, ... (le/li) vedo stasera.

4. ● Quando fai le valigie? ○ .... (la/le) faccio più tardi.

5. ● Prendi il tiramisù con Maria? ○ No, ... (li/lo) prendo con Tobias.

3 *Collegate il pronome al nome a cui si riferisce con una freccia.*

La ricetta dello zabaione
Ingredienti:
4 uova fresche
quattro cucchiai di zucchero
un bicchierino di marsala

Prendete le uova e separate il bianco dal rosso. Poi prendete i rossi e **li** sbattete* con lo zucchero per molto tempo, fino a ottenere una crema morbida e chiara. Prendete il marsala e **lo** aggiungete* piano piano alla crema. Alla fine prendete la crema e **la** mettete in quattro bicchieri, poi **li** mettete in frigo. Quando servite* la crema, **la** decorate con un biscotto.

_____

Vocaboli: *sbattere:* agitare forte con una forchetta, *aggiungere:* mettere dentro al preparato, *servire:* portare in tavola

4 *Indovinate quale pasto è?*

1. Nei giorni di lavoro **la** preparo e **la** mangio la sera, a casa. In vacanza **la** faccio quasi sempre al ristorante. Ma con gli amici **la** prepariamo con piatti particolari e con buon vino. **La** consumiamo insieme per un paio d'ore, mentre parliamo e ridiamo di tutto.

....

2. Di solito non **la** faccio. Bevo solo un caffè. **La** faccio solo quando non lavoro e **la** preparo con attenzione: caffè, yogurt, succo d'arancia e un dolce. **La** mangio in pieno relax mentre leggo il giornale.

....

3. Quando lavoro **lo** faccio al bar. **Lo** faccio con un panino o un'insalata, un bicchiere d'acqua e un buon caffè. La domenica in Italia **lo** facciamo a casa dei genitori. Le mamme **lo** preparano tutta la mattina ed è come una piccola festa di famiglia.

....

4. *Ora provate voi a fare un indovinello con i pronomi.*
Esempio: *(gli spaghetti)* **Li** *mangiano gli italiani. Sono famosi alla bolognese.* **Li** *mangi anche al ristorante cinese.*

....

....

Unità 4 - Esercizi supplementari - Seconda parte

5 *Rispondete alle domande con i pronomi e gli elementi tra parentesi.*
1. Prendi un caffè? ....
2. A chi regali quest'anello? (alla mia ragazza) ....
3. A chi scrivi questa lettera? (a Luca) ....
4. A chi mandi queste cartoline? (a Maria e a Luisa) ....
5. Prendi la bicicletta oggi? ....
6. A chi scrivi questo fax? (alla segretaria) ....
7. Studi volentieri i pronomi? ....
8. Conosci quel ragazzo? ....

6 *Completate le frasi con il verbo **piacere**.*
1. Mi .... il tiramisù.
2. Non mi .... i tortellini.
3. Mi .... le tagliatelle ai funghi.
4. Non mi .... il risotto.
5. Mi .... il pollo allo spiedo.
6. Non mi .... le scaloppine al vino bianco.

7 *Completate con **buono/a** o **bene**.*
1. ● Come va? ○ Va tutto ....
2. Il caffè a Napoli è ....
3. Quell'osteria è .... Mangi .... e paghi poco.
4. Il prezzo è basso, ma la qualità non è ....
5. Carlo e Luca sono .... amici.
6. Non capisco .... l'italiano. Parli inglese?
7. Le tagliatelle sono .... al ragù.

8 *Completate il racconto con le parole date.*
male – buono – piace – piacciono – buono – bene

Non mi .... molto quel ristorante in Piazza Mazzini. Sì, certo il servizio è ...., i camerieri sono gentili. Ma il cibo non è così ....: il pesce lo cucinano ...., i dolci però non mi .... per niente. Troppo zuccherati! Sto .... con tutto quello zucchero!

9 *Completate con **da** o **in** e se necessario con l'articolo.*
1. Vado .... tabaccaio a comprare due francobolli.
2. Devo andare .... dottore perché non sto molto bene.
3. Oggi .... libreria c'è la presentazione del libro di Umberto Eco.
4. .... pasticceria hanno anche torte alla frutta.
5. Puoi comprare il biglietto dell'autobus anche .... giornalaio.
6. .... gelateria hanno il gelato di produzione propria.

10 *Completate il racconto con le preposizioni.*
Vengo .... Amsterdam e studio all'Università La Sapienza, ... Roma. Abito .... una signora in centro. Vivere .... una grande città è costoso, ma di solito mangio .... alcuni amici, che hanno l'appartamento vicino alla mia Facoltà. I miei amici vengono .... Germania, sono simpatici e la sera andiamo .... Mario, che ha una trattoria a Trastevere. Qualche volta andiamo .... cinema, qualche volta aiutiamo Mario con i clienti e lui poi offre la cena a tutti.

Fotocopiabile

Obiettivi sezione A: ampliare il vocabolario degli studenti con nuovi aggettivi, formulare e reagire ad un invito, spingerli a cominciare ad utilizzare i possessivi e ad approfondire gli usi della preposizione *da*.

Pag. 56, A1 – Come sono le stanze? Come sono le persone?

Descrizione: 5 fotografie ambientate in alcune stanze della casa. *In soggiorno:* un uomo che telefona e ha un computer sul tavolo. *In sala:* una bambina sul divano. *In camera:* due bambini che fanno le pulizie nella loro camera. *In cucina:* una giovane donna che prepara qualcosa mentre una bambina l'aiuta e un bambino la guarda. *In bagno:* due bambini che giocano nella vasca da bagno.

Tempo: 20 minuti.

Procedimento: attività orale. Vedi **Presentazione – Come usare l'immagine.** Dopo aver svolto l'attività potete dividere gli studenti in coppie e chiedere di descrivere al compagno la propria casa o la stanza che preferiscono.

Pag. 56, A2 – Scrivete una frase

Descrizione: vedi **A1**.

Tempo: 10 minuti.

Procedimento: Attività di scrittura. Invitate gli studenti a svolgere individualmente la consegna dell'attività. Al termine, dovranno lavorare a coppie e ognuno dovrà dire quale immagine ha scelto e perché l'ha scelta e presentare la sua frase.

Vedi **Unità 5** **+1** **Come può essere?**

🎧 2.2 Pag. 57, A3 – Un invito a casa

Descrizione: Paola telefona a Maria e la invita ad una festa per sabato sera.

Tempo: 25 minuti.

Procedimento: attività di ascolto e di scrittura. Avvisate in anticipo gli studenti che dovranno prendere degli appunti e quindi descrivete loro la situazione senza entrare troppo nei dettagli. Vedi **A1**.

🎧 2.2 Pag. 57, A4 – Le parti della telefonata

Descrizione: Vedi **A3**.

Tempo: 20 minuti.

Procedimento: Vedi **Presentazione – Strategie d'ascolto. Dialoghi lunghi.** Alla fine chiedete agli studenti se conoscono altre frasi utili per queste intenzioni comunicative.

🎧 2.2 Pag. 57, A5 – Chi parla?

Descrizione: Vedi **A3**.

Tempo: 20 minuti.

Procedimento: Vedi **Presentazione – Strategie d'ascolto. Dialoghi lunghi. Le tabelle.** Dopo l'attività richiesta dalla consegna e il completamento della tabella di *grammatica attiva*, accertatevi che tutti gli studenti abbiano capito bene questo uso del possessivo. Potete fare altri esempi con gli oggetti presenti nella classe.

🎧 2.2 Pag. 58, A6 – Mettiamo a fuoco

Descrizione: Vedi **A3**.

Tempo: 20 minuti.

Procedimento: ascolto e parziale ricostruzione del dialogo. Vedi **Unità 2, C2**. Fate ricostruire le frasi dove appare la preposizione *da*. Invitate gli studenti a scriverle e se possibile, cercate di farvi spiegare da loro le funzioni di *da* prima di osservare il riquadro grammaticale accanto.

Pag. 58, A7 – Quando è il suo compleanno?

Tempo: 25 minuti.

Procedimento: attività orale da svolgersi inizialmente a libro chiuso. Chiedete agli studenti se conoscono il nome dei mesi dell'anno e scriveteli alla lavagna. Dividete poi la classe in coppie e invitate ad aprire il libro alla pagina dell'attività e a cercare i mesi che non sono stati nominati. Vincerà chi sarà più veloce. Alla fine fate svolgere l'attività come da consegna.

Obiettivi sezione B: cerchiamo di stimolare gli studenti a parlare delle proprie abitudini quotidiane e forniamo loro un verbo essenziale in questo campo quale *uscire*. Approfondiamo i pronomi diretti atoni presentando la prima e la seconda persona singolare e plurale e alcune strutture particolari, come *bisogna* e *avere bisogno di…*

Pag. 58, B1 – Che cosa fate domani?

Descrizione: 8 immagini di persone impegnate in varie attività quotidiane.

Tempo: 20 minuti.

Procedimento: vedi **Presentazione – Come usare l'immagine**. Ovviamente, se gli studenti fanno cose diverse e desiderano esprimerle fornite il lessico necessario. Nell'attività viene data la coniugazione del verbo *uscire*, che, dato l'argomento, potrebbe risultare molto utile. Invitateli poi, sempre a coppie, a completare la tabella di *grammatica attiva* con le preposizioni. È noto che l'uso delle preposizioni è difficile, ci saranno senz'altro molti errori, ma il vostro compito è quello di rassicurare gli studenti spiegando che l'argomento è complesso e che non esistono regole semplici per tutti i casi. Aiutate comunque gli studenti a trovarne alcune insieme. Ad es. "davanti ad un infinito usiamo *a* e davanti ad una parola che finisce in -*eria* ,-*iria* usiamo *in*".

🎧 2.3 Pag. 59, B2 – L'agenda di Carlo

Descrizione: Marta telefona a Carlo per chiedergli di accompagnarla ad una Agenzia immobiliare, nell'audio gli studenti sentiranno solo la voce di Carlo e, al primo ascolto, potranno cercare di immaginare che cosa dice Marta.

Tempo: 20 minuti.

Procedimento: attività di ascolto. Vedi **Strategie d'ascolto. Dialoghi lunghi**.

Soluzione: *Mercoledì ore 15.00 da Marta.*

🎧 2.3 Pag. 59, B3 – Mettiamo a fuoco

Descrizione: Vedi **B2**.

Tempo: 25 minuti.

Procedimento: attività di ascolto e completamento. Vedi **Presentazione – Strategie d'ascolto. Le tabelle**. Verificate che gli studenti abbiano capito l'uso dei pronomi diretti. Fate loro notare anche le espressioni *bisogna, avere bisogno di* e chiedete come si traducono nella loro lingua.

Soluzioni: *ti, dalle, all', fino alle, ti, ti, vi.*

Pag. 59, B4 – Ora tocca a voi!

Tempo: 20 minuti.

Procedimento: invitate gli studenti, individualmente, a scrivere su un foglio i loro impegni. Poi formate delle coppie all'interno delle quali gli stu-

denti dovranno fissare un appuntamento fra di loro in base ai propri impegni aiutandosi con le frasi della tabella presente nell'attività.

Vedi **Unità 5** **+2** **Chi mi accompagna?**

Obiettivi della sezione C: offrire agli studenti ulteriori possibilità per parlare delle proprie abitudini quotidiane introducendo i verbi riflessivi.

Pag. 60, C1 – Il giovedì mattina di Simona

Descrizione: 8 immagini che rappresentano Simona nelle sue azioni mattutine.

Tempo: 10 minuti.

Procedimento: invitate gli studenti ad osservare le immagini a descriverle. Divideteli poi a coppie e fate svolgere l'attività come da consegna. La soluzione sta nell'attività seguente.

🎧 2.4 Pag. 60, C2 – Simona racconta

Descrizione: Simona racconta che cosa fa il giovedì mattina.

Tempo: 15 minuti.

Procedimento: attività di ascolto e verifica. Vedi **Presentazione. Strategie di ascolto**.

Nota: il fatto che Simona racconti di fare molte cose in 30 minuti è voluto: nel contesto del racconto un po' concitato dovrebbe risultare facile agli studenti intuire il significato di espressioni quali "*in fretta*" o "*i primi vestiti che trovo*". Se avete tempo a sufficienza potete stimolare lo scambio di esperienze tra gli studenti riguardo al tempo che impiegano la mattina per svegliarsi, prepararsi e uscire di casa. L'argomento è ottimo perché è esperienza di tutti: mette in evidenza punti in comune e differenze fra le persone e crea complicità.

🎧 2.4 Pag. 60, C3 – Mettiamo a fuoco

Descrizione: Vedi **C2**.

Tempo: 20 minuti.

Procedimento: ascolto e completamento. Vedi **Presentazione – Strategie d'ascolto. Le tabelle**. Una volta completata la tabella di *grammatica attiva* potete invitare gli studenti, a coppie, ad attivare i riflessivi chiedendo loro di descrivere la propria mattinata.

Vedi **Unità 5** **+3** **Domande**

Obiettivi sezione D: rinforziamo e ampliamo il lessico sulla famiglia già incontrato nell'unità 2. Cominciamo a focalizzare l'attenzione degli studenti sul fatto che i possessivi singolari davanti ai nomi di parentela non vogliono l'articolo. Non pretendiamo però che lo usino subito nel linguaggio spontaneo.

Ω 2.5 **Pag. 61, D1 – Foto di famiglia**

Descrizione: 5 foto che rappresentano persone della famiglia di Luca e Maria.

Tempo: 15 minuti.

Procedimento: Vedi **Presentazione – Strategie di ascolto. Come usare l'immagine.** Dopo aver esaminato le immagini insieme agli studenti e fatto ascoltare l'audio, date un paio di minuti per svolgere il compito della consegna individualmente. Formate poi delle coppie in modo che si possano scambiare informazioni su eventuali parole nuove.

Pag. 62, D2 – Mettiamo a fuoco

Tempo: 20 minuti.

Procedimento: formate delle coppie e invitate gli studenti a completare l'albero genealogico di Luca. Invitateli poi a completare la tabella di *grammatica attiva*.

Pag. 61, D3 – Ora tocca a voi!

Tempo: 20 minuti.

Procedimento: attività orale. Formate delle coppie e invitate gli studenti a scambiarsi informazioni sulla propria famiglia. Si possono aiutare con le domande guida nella tabella dell'attività. Potete anche chiedere ad ogni studente di disegnare l'albero genealogico del proprio compagno e poi presentarlo alla classe.

Vedi **Unità 5** **+4** **Chi sono i miei familiari?**

Obiettivi sezione E: ampliare il vocabolario attinente al tema della casa e concludere con un'attività collettiva di riepilogo.

Ω 2.6 **Pag. 62, E1 – Dove abita? Con chi abita? Com'è la casa?**

Descrizione: Marcella, Luca, Carlo e Lisa descrivo-

no il loro appartamento, ma le immagini che precedono rappresentano solo tre abitazioni.

Tempo: 20 minuti.

Procedimento: attività di ascolto e collegamento. Vedi **Presentazione – Strategie d'ascolto. Quando si devono abbinare immagini e i mini dialoghi.**

Soluzione: *manca il disegno della casa di Luca.*

Ω 2.7 **Pag. 63, E2 – Quant'è l'affitto?**

Descrizione: Carlo telefona ad una agenzia immobiliare per un appartamento in affitto.

Tempo: 15 minuti.

Procedimento: attività di ascolto e collegamento. Vedi **Presentazione – Strategie d'ascolto. Dialoghi lunghi.** Come ampliamento, potete portare veri annunci immobiliari, e creare un role play con gli studenti a coppie. Uno impersonerà l'impiegato/a di un'agenzia immobiliare, l'altro un potenziale cliente. Date 10 minuti di tempo e poi fate rappresentare i dialoghi davanti alla classe.

Pag. 63, E3 – Finalmente cambio casa!

Descrizione: e-mail di Marta a Marcella.

Tempo: 20 minuti.

Procedimento: fate svolgere l'attività a coppie. Girate fra gli studenti per verificare che non ci siano incomprensioni lessicali.

Pag. 63, Scambio di idee

Tempo: 20 minuti.

Procedimento: Vedi **Presentazione – Scambio di idee.**

Vedi **Unità 5** **+5** **A casa di Gloria**

Vedi **Unità 5** **+6** **Arrediamo casa**

Obiettivi della sezione F: far riconoscere e pronunciare agli studenti i suoni corrispondenti ai grafemi GN e GLI.

Ω 2.8 **Pag. 64, F1 – Riconoscete i suoni tipici per i gruppi di lettere GLI e GN?**

Tempo: 15 minuti.

Procedimento: attività di ascolto. Fate svolgere l'attività come da consegna. Ripetete l'ascolto per un minimo di 3 volte.

🎧 2.9 **Pag. 64, F2 – Ora provate a pronunciare le parole con il gruppo GN**

Tempo: 15 minuti.

Procedimento: ascolto e ripetizione. Potete fare esercitare gli studenti a coppie.

🎧 2.10 **Pag. 64, F3 – Ora provate a pronunciare le parole con il gruppo GLI**

Tempo: 15 minuti.

Procedimento: ascolto e ripetizione. Vedi **F2**.

Pag. 64, L'angolo degli annunci

Descrizione: alcuni annunci immobiliari (materiale costruito in analogia a quelli autentici).

Tempo: 15 minuti.

Procedimento: invitate gli studenti a coppie a guardare gli annunci e a scegliere l'appartamento in cui vorrebbero vivere e quello che invece non gli piace per niente. Ognuno deve spiegare al compagno le proprie scelte.

Pag. 65, Italia Oggi – Gli italiani e la casa

Descrizione: il rapporto dei giovani con la casa e la famiglia di origine. Il fenomeno dei *"mammoni"*.

Tempo: 30 minuti.

Procedimento: invitate gli studenti a guardare l'immagine che accompagna l'articolo e spingeteli a fare delle ipotesi: *chi sono le due persone raffigurate? Perché la donna piange?* Scrivete poi sulla lavagna la parola *"mammone"*: *che cosa può significare?* Fate procedere poi come da consegna. Alla fine attivate in plenum un confronto fra la situazione dei giovani in Italia e nel loro paese. Esistono i mammoni? Qualcuno ne conosce uno?

Attività supplementari

Unità 5 **+1** **Come può essere?**

Quando: dopo il punto A2.

Obiettivo didattico: ripasso degli aggettivi e dell'accordo.

Partecipanti: 2 gruppi.

Tempo: circa 15 minuti.

Materiale: una copia di pagina 82 per gruppo.

Preparazione: dividete la classe in 2 gruppi e date a ogni gruppo una copia di pagina 82.

Obiettivo del gioco: vince il gruppo che guadagna più punti.

Svolgimento: eleggete un capogruppo e dite che sarà lui/lei a occuparsi di scrivere sul foglio.
Dite che leggerete una serie di aggettivi e che darete 30 secondi di tempo per decidere se l'aggettivo detto può essere associato a una o più immagini tra quelle che vedono sul foglio. È possibile che un aggettivo possa andare bene per più di un'immagine. Al termine del gioco chiedete ai capigruppo di leggere gli aggettivi associati alle immagini; procedete con un'immagine alla volta. Assegnate un punto a ogni aggettivo che per significato vada bene con l'immagine e un ulteriore punto se l'accordo è giusto. Alla fine dell'attività potete chiedere di trovare i contrari degli aggettivi (*tranquillo - rumoroso; piccolo - grande; corto - lungo*), alcuni aggettivi però non hanno un contrario, fateli dire e scriveteli alla lavagna.
Aggettivi da usare:
tranquillo – rumoroso – buio – comodo – piccolo – rosso – corto – lungo – buono – biondo – felice – caro – liscio – bello – grande.

Soluzione possibile: Italia: *è tranquilla, è rumorosa, è cara, è bella, è grande;* **Mele:** *sono piccole, sono rosse, sono buone, sono care, sono grandi;* **Capelli:** *sono rossi, sono corti, sono lunghi, sono biondi, sono lisci, sono belli;* **Casa:** *è tranquilla, è rumorosa, è buia, è comoda, è piccola, è cara, è bella, è grande;* **Cane:** *è tranquillo, è rumoroso, è buono, è felice, è grande;* **Uomo:** *è tranquillo, è rumoroso, è piccolo, è buono, è felice, è bello, è grande.*

Unità 5 **+2** **Chi mi accompagna?**

Quando: dopo il punto B4.

Obiettivo didattico: uso dei pronomi diretti di prima e terza persona singolari e plurali.

Partecipanti: in plenum, poi a coppie.

Tempo: circa 20 minuti.

Materiale: una copia di pagina 83 ogni due studenti del gruppo, da tagliare dividendo la scheda A e la scheda B.

Preparazione: dividete la classe in due gruppi A e B, e poi formate delle coppie con uno studente di A e uno di B, distribuite a ogni studente una scheda (A o B).

Obiettivo del gioco: per ogni luogo indicato trovare individualmente una persona diversa nel gruppo che accompagna e riferire poi al compagno di coppia.

Svolgimento: dite agli studenti che sono molto impegnati e che hanno bisogno che qualcuno li accompagni con la macchina per fare tutte le cose indicate sulla scheda. Sulla prima colonna della scheda ci sono luoghi dove ogni studente deve andare; sulla seconda colonna sono indicati i posti dove lo studente andrà con il compagno di coppia. Il gioco si svolge in due fasi: 1) *Domande nel gruppo:* tutti gli studenti devono girare per la classe e chiedere agli altri se possono accompagnarli nei posti indicati. Dite agli studenti che una volta trovata la persona che li accompagna in un posto, devono scrivere il nome accanto al luogo sulle linee tratteggiate della scheda. 2) *Scambio di informazione a coppie:* quando avranno trovato un accompagnatore per ogni posto, gli studenti dovranno rimettersi a coppie e scambiarsi le informazioni, come negli esempi. Quando tutti avranno finito, potete fare voi delle domande a caso a ogni studente.

Regola: uno studente non può accompagnare nessuno in più di un posto.

Nota: le schede A e B prevedono una prima parte comune a tutti gli studenti e una seconda parte diversa per A e B. Quando gli studenti di A e B di ogni coppia si ritroveranno dopo la ricerca nel gruppo, si scambieranno le informazioni come negli esempi.

Esempi:
Domande nel gruppo, prima parte:
Mi puoi accompagnare dal dottore?
Sì, ti posso accompagnare. / No, non ti posso accompagnare.

Domande nel gruppo, seconda parte:
Ci puoi accompagnare alla festa?
Sì, vi posso accompagnare. / No, non vi posso accompagnare.

Scambio di informazioni a coppie:
Prima parte:
Chi ti accompagna dal dottore?
Mi accompagna Andreas, e chi accompagna te?
Mi accompagna Karl.

Seconda parte:
Chi ci accompagna alla festa?
Ci accompagna Isabel.

Unità 5 **+3** **Domande**

Quando: dopo il punto C3.

Obiettivo didattico: esercitazione sui verbi riflessivi.

Partecipanti: in plenum.

Tempo: circa 15 minuti.

Materiale: foglietti bianchi, un contenitore.

Preparazione: scrivete su ogni foglietto un verbo riflessivo all'infinito, piegate i foglietti e metteteli in un contenitore.

Svolgimento: girate per la classe, scegliete uno studente e fategli pescare un foglietto. Dite allo studente di fare una domanda a un altro studente, utilizzando il verbo scritto sul foglietto. Il gioco termina quando tutti avranno fatto almeno una domanda.

Esempio: nel foglietto c'è *alzarsi*.
Studente A: *Mike, a che ora ti alzi la mattina?*
Mike: *Mi alzo alle otto.*

Unità 5 **+4** **Chi sono i miei familiari?**

Quando: dopo il punto D3.

Obiettivo didattico: esercitazione sugli aggettivi possessivi con ripasso dei nomi di parentela.

Partecipanti: in plenum.

Tempo: circa 30 minuti.

Materiale: una copia di pagina 84 ogni 12 studenti, da ritagliare in modo da avere una scheda per ogni studente.

Preparazione: distribuite a ogni studente una scheda. Disegnate alla lavagna la struttura di un albero genealogico seguendo il modello di pag. 80, ma scrivendo solo il nome di Anna.

Svolgimento: dite agli studenti che ognuno di loro rappresenta un membro della famiglia di Anna e che devono scoprire i termini di parentela tra loro. Chiedete loro di girare per la classe e chiedere agli altri chi sono. La classe lavora insieme per ricostruire l'albero genealogico che avete disegnato alla lavagna e dove avete indicato la posizione di Anna. Appena uno studente capisce un termine di parentela, scrive il nome della persona al posto giusto.

Albero genealogico:

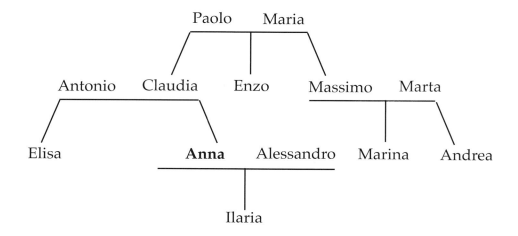

Nota: quando l'albero genealogico sarà completo, fate delle domande agli studenti del tipo: *Chi è mia sorella? Chi sono i miei zii?* ecc.
Le carte sono pensate per dodici familiari, ma se gli studenti dovessero essere meno potete eliminare dall'albero familiari come Andrea, Elisa, Massimo. In tal caso ricordatevi di scrivere questi nomi sull'albero dal momento che mancherebbero studenti che hanno informazioni legate a loro.

━━ Unità 5 ━━ +5 ▸ A casa di Gloria

Quando: dopo il punto E4.

Obiettivo didattico: ampliamento del lessico sulla casa.

Partecipanti: a coppie.

Tempo: circa 15 minuti.

Materiale: una copia per ogni coppia di studenti della piantina di pagina 85 e uno degli oggetti di pagina 86, da ritagliare.

Preparazione: dividete gli studenti in coppie e distribuite una copia della piantina della casa e le carte degli oggetti a ogni coppia.

Svolgimento: invitate gli studenti a osservare la piantina della casa di Gloria e spiegate che devono attribuire un nome a ogni stanza e arredare la casa vuota con gli oggetti delle carte. A turno dovranno

pescare un oggetto e fare la domanda: *"Dove metti…?"* Quando tutte le coppie avranno finito di arredare le loro case, cambiate le coppie e dite di fare nuove domande con la formula: *"Dove si trova…?"*

Nota: ci sono due tipi di domande: *Dove metti…?* e *Dove si trova…?* Nel primo caso lo studente deve cercare l'immagine corrispondente nelle piccole immagini, per avere il nome, e formulare la domanda e l'altro studente è libero di dire dove metterebbe l'oggetto; nel secondo caso gli studenti dovranno cercare nell'immagine della casa, precedentemente arredata con un altro compagno, l'oggetto e dire in che stanza si trova.

Esempio: Studente A: *Dove metti l'attaccapanni?*
Studente B: *Lo metto in soggiorno / In soggiorno.*
Studente A: *Dove si trova il cuscino?*
Studente B: *In camera da letto.*

━━ Unità 5 ━━ +6 ▸ Arrediamo casa

Quando: dopo il punto E4.

Obiettivo didattico: rinforzo sul lessico della casa.

Partecipanti: a coppie o gruppi di 3.

Tempo: circa 15 minuti.

Materiale: una lista dei prezzi, come nell'esempio sotto o, se scegliete la variante, ritagliate una rivista di arredamento per ogni coppia, forbici, nastro adesivo, fogli A4.

Svolgimento: dite agli studenti che dovete arredare il vostro soggiorno, ma che avete a disposizione al massimo 5000 €. Cosa vi comprano? Potete creare una lista simile a quella riportata di seguito:

Tappeto	800 euro
Divano	2000 euro
Cuscini	30 euro l'uno
Libreria	1000 euro
Lampadario	350 euro
Tavolo	750 euro
Sedie	100 euro l'una
Poltrona	500 euro
Mensole	80 euro l'una
Televisore	650 euro
Mobile porta televisore	150 euro
Sveglia	30 euro
Tende	150 euro
Lampada da tavolo	75 euro

In alternativa potete ritagliare delle immagini da una rivista di arredamento o dare la rivista agli studenti e far cercare loro gli oggetti da mettere nel vostro soggiorno.

Variante: utilizzate una rivista, potete anche decidere di darne una a ogni coppia e assegnare a ogni studente una stanza della vostra casa. Il budget sarà sempre lo stesso per ogni stanza, fate ritagliare le immagini con i rispettivi prezzi e incollarle su di un foglio A4. A fine attività vedete quanto hanno speso gli studenti e fatevi illustrare le stanze.

Chi ti accompagna

... dal dottore? ....

... a teatro? ....

... alla banca? ....

... a scuola? ....

... a casa? ....

... in discoteca? ....

... in biblioteca? ....

... in libreria? ....

... alla posta? ....

Chi vi accompagna

... alla festa? ....

... al cinema? ....

... al mare? ....

... a casa di Paolo? ....

... in stazione? ....

Unità 5   +2   Chi mi accompagna? - Parte B

Chi ti accompagna

... dal dottore? ....

... a teatro? ....

... alla banca? ....

... a scuola? ....

... a casa? ....

... in discoteca? ....

... in biblioteca? ....

... in libreria? ....

... alla posta? ....

Chi vi accompagna

... all'aeroporto? ....

... al pub? ....

... al parco? ....

... a Milano? ....

... al concerto? ....

Unità 5 +4 Chi sono i miei familiari?

Nome: *Paolo* **Informazione:** *sei il nonno di Marina*	**Nome:** *Massimo* **Informazione:** *sei il marito di Marta*	**Nome:** *Andrea* **Informazione:** *sei il nipote di Paolo*
Nome: *Maria* **Informazione:** *sei la nonna di Elisa*	**Nome:** *Marta* **Informazione:** *sei la mamma di Andrea*	**Nome:** *Elisa* **Informazione:** *sei la nipote di Enzo*
Nome: *Claudia* **Informazione:** *sei la moglie di Antonio*	**Nome:** *Marina* **Informazione:** *sei la cugina di Elisa*	**Nome:** *Alessandro* **Informazione:** *sei il padre di Ilaria*
Nome: *Antonio* **Informazione:** *sei il padre di Elisa*	**Nome:** *Ilaria* **Informazione:** *sei la nipote di Antonio*	**Nome:** *Enzo* **Informazione:** *sei il fratello di Massimo*

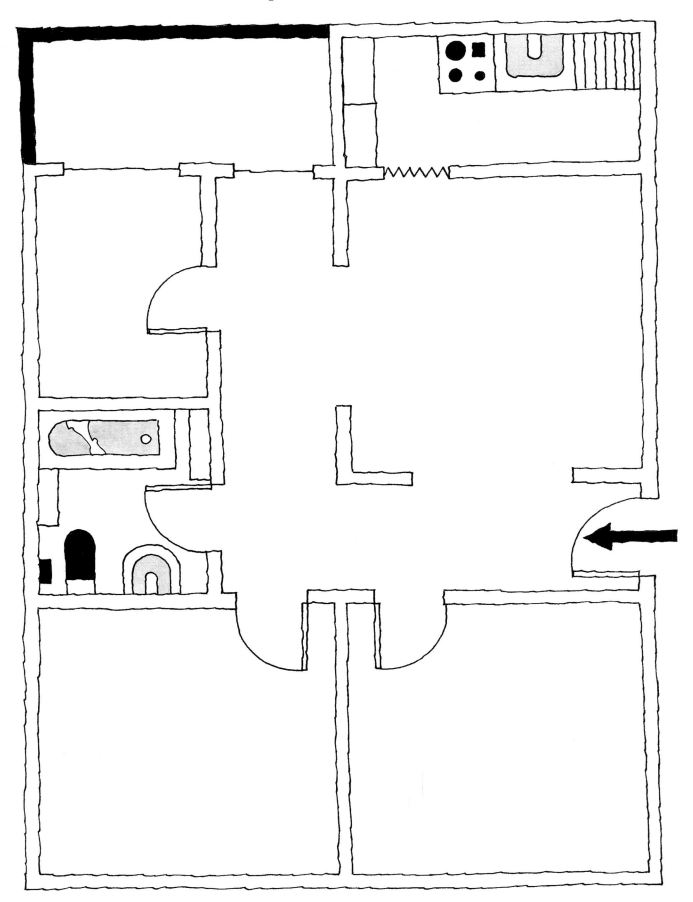

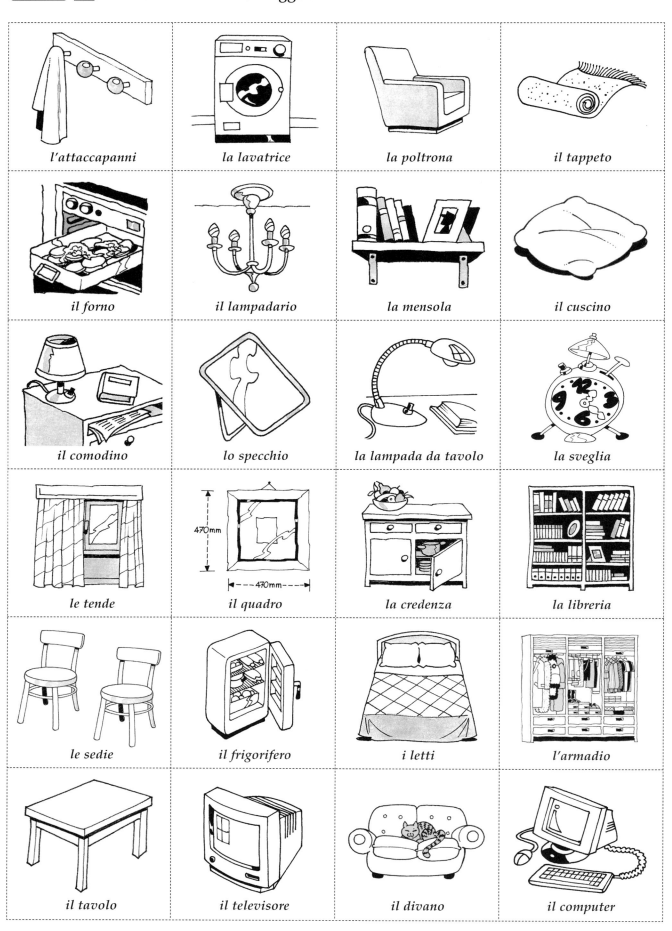

l'attaccapanni	la lavatrice	la poltrona	il tappeto
il forno	il lampadario	la mensola	il cuscino
il comodino	lo specchio	la lampada da tavolo	la sveglia
le tende	il quadro	la credenza	la libreria
le sedie	il frigorifero	i letti	l'armadio
il tavolo	il televisore	il divano	il computer

CaffèItalia 1 Guida per l'insegnante © ELI 2005

Unità 5 - Esercizi supplementari - Prima parte

1 *Completate il dialogo al telefono.*
stai – c'è – Ti – Quando – sono – tempo – A – vicino – Pronto

● .... , ciao Francesca, ... Sandra.

○ Ciao, Sandra, come ....?

● Abbastanza bene. .... disturbo?

○ No, figurati. Cosa ....?

● Hai .... per un caffè?

○ Perché no? .... ?

● Ora, sono .... a casa tua.

○ Bene, scendo.

● .... subito.

○ Ciao.

2 *Completate con i possessivi.*

● Non trovo più la .... borsa nera. Sai dov'è?

○ No. Ecco qui tutte le tue cose: le .... scarpe, la .... maglia nera, i .... occhiali da sole, le .... chiavi della macchina. Ma non metti mai in ordine?

● Non perdere tempo e cerchiamo insieme.

○ Qui ci sono altre cose tue: il .... zaino, il .... telefonino, i .... documenti. Ma la .... borsa non c'è.

● Vedi dov'è? È proprio sotto i .... occhi. È lì sul tavolo!

○ Sul tavolo, ma sotto i .... vestiti e i tuoi libri. È difficile vederla!

3 *Completate con i pronomi.*

1. ● Chi .... accompagna alla festa? ○ ....accompagna Marco.

2. ● .... puoi portare tu la valigia? ○ Sì, non c'è problema!

3. ● .... chiami stasera? ○ Sì, ... chiamo alle 9.00.

4. ● Pronto Paolo, ... senti? ○ No, non .... sento bene.

5. ● .... inviti al tuo compleanno. ○ Sì, ... invito volentieri.

4 *Completate con i verbi e con i pronomi diretti.*

1. ● Mi accompagni a casa? ○ No, non .... perché ho fretta.

2. ● Ecco la tua giacca. La metti adesso? ○ No, ... più tardi.

3. ● Tu suoni il pianoforte? ○ Sì, ... abbastanza bene.

4. ● Sai che Maria è all'ospedale? ○ Sì, ...

5. ● Quel maglione è molto bello, lo compri? ○ Sì, ...

6. ● Mi ami? ○ Sì, ...

5 *Completate con le preposizioni.*

1. Andiamo .... cinema .... vedere un film francese.

2. Venite .... ballare .... noi?

3. Viene anche Marta .... mangiare la pizza?

4. Luca va .... giocare a calcio .... Carlo.

5. Andiamo .... guardare la partita .... casa tua?

6. Keiko torna .... casa .... studiare italiano.

Unità 5 - Esercizi supplementari - Seconda parte

6 *Completate le seguenti frasi con la forma corretta del verbo riflessivo.*

1. Le mie amiche (pettinarsi) .... con molta cura.

2. Luca, (farsi) .... la barba?

3. A che ora (addormentarsi) .... voi la sera?

4. Tu (svegliarsi) .... sempre allegro!

5. Io non (truccarsi) .... mai.

6. La signora Eugenia (vestirsi) .... con molta eleganza.

7 *Completate con i verbi riflessivi la storia di Luciano, il padre di Carlo.*

Io (chiamarsi) .... Luciano e mia moglie Clara.

Carlo e Giuliana sono i nostri figli. Io e mia moglie lavoriamo in banca.

A1 mattino (alzarsi) .... prima io, (lavarsi) .... ,

(vestirsi) .... e preparo la colazione. Poi (svegliarsi) .... Clara.

Facciamo colazione e andiamo al lavoro insieme.

Mia figlia (svegliarsi) .... più tardi. Va a scuola ma non capisco mai i suoi orari.

Carlo va all'università e vive già da solo in un monolocale. Di domenica però viene a pranzo da noi e subito

dopo (addormentarsi) .... sul divano. Il sabato sera per lui deve essere sempre molto

duro, passare da un bar a un cinema a una discoteca in una sola notte, non è facile per nessuno!

8 *Inserite nel dialogo le parole.*

terrazzo – camera – luminosa – cucina – periferia – bagno

● Cerchi casa?

○ Non esattamente, cerco una ....

● Quale zona della città ti piace?

○ Mi va bene se è un po' in .... Il centro è così caotico.

● Cosa deve avere la casa ideale? E cos'è più importante per te?

○ Coinquilini simpatici. E poi una camera .... , un .... comodo e pulito,

   una .... grande con un tavolo di legno e belle sedie .

● Basta?

○ Se ha anche un bel .... , per mangiare al fresco nelle sere d'estate, è perfetta.

9 *Completate con i possessivi. Mettete anche gli articoli, quando è necessario.*

1. Le presento Germana, ... moglie.

2. ● È il figlio di Luciano? ○ Sì, è .... figlio.

3. .... padre è insegnante e mia madre è impiegata.

4. Suo nonno abita a Bologna. E .... padre?

5. ● Sono i figli di Luciano e Clara? ○ Sì, sono .... figli.

6. Ti presento Giorgio, ... marito.

7. Luca racconta a tutti .... esperienza.

8. Maria mette in ordine .... camera.

9. Vivete da soli o con .... genitori?

10. Di solito la sera esco con .... amici.

11. È cara .... città, Luca?

12. È difficile .... lavoro, signora?

Obiettivi sezione A: introdurre gli studenti all'argomento vacanze; spingerli ad esprimere le proprie preferenze in merito. Per aiutarli forniamo loro alcuni avverbi di frequenza e li stimoliamo a ricostruire il verbo *volere*.

Pag. 66, A1 – Dove volete andare?

Descrizione: un catalogo turistico con quattro foto che rappresentano le quattro situazioni: *Al mare, In montagna, Al lago, In una città turistica.*

Tempo: 10 minuti.

Procedimento: attività orale. Vedi **Presentazione – Come usare l'immagine?**

Pag. 66, A2 – In primavera? In estate? In autunno? In inverno?

Tempo: 15 minuti.

Procedimento: verifcate che tutti gli studenti capiscano i nomi delle stagioni: invitateli a guardare la tabella dell'attività in cui vengono riportati i periodi dell'anno. Incontreranno così per la prima volta la struttura *da... a*, ma non insistete troppo: la riprenderete più avanti. Formate delle coppie e fate parlare delle preferenze sul periodo per le vacanze come da consegna.

Pag. 67, A3 – Che cosa volete fare in vacanza?

Descrizione: 6 immagini che rappresentano le seguenti attività: *andare a cavallo, andare a vela, fare alpinismo, sciare, prendere il sole, andare in canoa.*

Tempo: 25 minuti.

Procedimento: Vedi **Presentazione – Come usare l'immagine.** Attirate l'attenzione anche sulla tabella in cui vengono riportate altre attività e chiedete di allungare la lista, fate notare anche gli avverbi di frequenza e, se è necessario, spiegateli facendo voi stessi degli esempi. Quando vi sembra che gli studenti abbiano esaurito i loro argomenti invitateli a coppie a completare la coniugazione del verbo *volere* nella tabella di *grammatica attiva*.

Vedi **Unità 6** **+1** Voglio, non so, devo

Pag. 67, A4 – La cosa più importante

Tempo: 15 minuti.

Procedimento: attività orale in plenum e di semplice preparazione all'attività successiva. Da svolgersi come da manuale. Alla fine chiedete agli studenti se conoscono ulteriori frasi utili che possono aggiungere.

Pag. 67, A5 – Formate le coppie

Tempo: 15 minuti.

Procedimento: create spazio nella classe in modo che gli studenti possano facilmente muoversi e poi date loro la consegna come da manuale.

Pag. 68, A6 – Vacanze di tutti i tipi

Descrizione: prospetti dell'agenzia *"Vacanze per tutti".*

Tempo: 35 minuti.

Procedimento: vedi **Presentazione – Come usare l'immagine.** Invitate gli studenti a leggere individualmente le didascalie e a sottolineare le parole che non capiscono. Formate delle coppie che dovranno fare delle ipotesi sul significato delle parole nuove (che poi voi aiuterete a chiarire) e discutere su quale tipo di vacanza, fra quelle offerte, preferiscono. Alla fine gli studenti, lavorando a coppie, scrivono nel riquadro vuoto la loro presentazione ideale, seguendo il modello delle altre tre sulla pagina, e poi si scambiano il libro per confrontarsi ed eventualmente scambiarsi correzioni e commenti sui testi prodotti.

Obiettivi sezione B: gli studenti devono cominciare a entrare in contatto con il linguaggio usato nelle agenzie di viaggio per prenotare una vacanza. Continuiamo ad arricchire il loro bagaglio di espressioni idiomatiche con *Oddio* e *Non è male!* e mostriamo la differenza nella forma fra *qualche* e *alcune/i.*

🎧 2.11 **Pag., 69, B1 – Voglio fare una sorpresa a mia moglie**

Descrizione: Giorgio, il padre di Luca, telefona ad una agenzia di viaggi.

Tempo: 25 minuti.

Procedimento: Vedi **Presentazione – Strategie d'ascolto. Dialoghi lunghi.**

Soluzioni: *il 29 agosto, a Capri, dal 27 agosto al 2 settembre, paga 5 notti al posto di sette, 700 euro.*

🎧 2.11 Pag. 69, B2 – Mettiamo a fuoco

Descrizione: Vedi **B1**.

Tempo: 25 minuti.

Procedimento: attività di ascolto e completamento. Vedi **Presentazione – Strategie d'ascolto Le tabelle.** Verificate che gli studenti abbiano compreso le espressioni: *Non è male!* e *Oddio...* e chiedete loro se c'è un corrispettivo nella loro lingua. Fate completare poi, sempre a coppie, la tabella di *grammatica attiva* con *qualche* o *alcune/i.*

Soluzioni: *il 29 agosto, in appartamento, dal 27 agosto al 2 settembre, 700 euro, prenotare.*

Vedi **Unità 6** **+2** **Andiamo in vacanza**

Obiettivi della sezione C: immergiamo sempre di più gli studenti nell'argomento dell'unità e gli presentiamo il pronome *ci* locativo, cercando di stimolarli immediatamente all'uso nella lingua parlata.

🎧 2.12 Pag. 70, C1 – Mi sembra un sogno!

Descrizione: Maria telefona alla mamma e parlano del viaggio a Capri.

Tempo: 25 minuti.

Procedimento: attività di ascolto e completamento. Vedi **Presentazione – Strategie d'ascolto.**

Pag. 70, C2 – Mettiamo a fuoco

Tempo: 25 minuti.

Procedimento: fate formare delle coppie e fate leggere i dialoghi. Concentrate poi l'attenzione sul pronome *ci* e invitateli a fare delle ipotesi sul suo uso. Procedete poi con l'esercizio di rinforzo nell'attività.

Soluzioni: 1. *a Roma/per quanto tempo ci restate?,* **2.** *perché ci andate in bicicletta?/ci andate da soli?*

Pag. 70, C3 – Ora tocca a voi!

Tempo: 20 minuti.

Procedimento: attività orale. Formate delle coppie e invitate gli studenti a porsi delle domande come da consegna.

Vedi **Unità 6** **+3** **Chi ci va?**

Obiettivi sezione D: cominciamo a focalizzare l'attenzione degli studenti sul passato prossimo. Non pretendiamo naturalmente che lo usino subito e senza errori nel linguaggio spontaneo.

🎧 2.13 Pag. 71, D1 – Quattro chiacchiere fra amici

Descrizione: Maria, Luca e Carlo parlano del viaggio di Giorgio e Giovanna, di una vacanza di Tobias e del nuovo appartamento di Marta.

Tempo: 20 minuti.

Procedimento. Vedi **Presentazione – Strategie d'ascolto. Dialoghi lunghi.** Alla fine dell'attività concentrate l'attenzione degli studenti sulle forme del passato prossimo, chiedendo loro, ad esempio, di sottolineare tutti i verbi che nel dialogo esprimono un'azione passata. Come e da che cosa sono formati? Stimolateli a formulare delle ipotesi sempre in coppia. Alla fine verificate.

Soluzioni: *ieri, due giorni fa, la settimana prossima, sabato scorso, ieri, fra due giorni, la settimana scorsa.*

🎧 2.13 Pag. 71, D2 – Mettiamo a fuoco

Descrizione: Vedi **D1**.

Tempo: 20 minuti.

Procedimento: attività di ascolto e completamento. Vedi **Presentazione – Strategie d'ascolto. Le tabelle.** Verificate che tutti gli studenti siano in grado di formare i participi passati regolari dei verbi. Nel dialogo e nella tabella vengono già presentati anche due participi passati irregolari, *fatto* e *visto,* dato il loro uso così frequente. Attirate l'attenzione anche sulla differenza fra le indicazioni di tempo con *fa* e *fra* e procedete a far completare, sempre a coppie, le tabelle di *grammatica attiva,* fate fare una verifica in plenum. E passate a far eseguire oralmente l'esercizio finale come rinforzo.

Pag. 72, D3 – La vacanza di Katrin e Tobias

Descrizione: 6 immagini di Katrin e Tobias che riprendono alcuni momenti delle loro vacanze.

Tempo: 25 minuti.

Procedimento: attività di completamento. Vedi **Presentazione – Come usare l'immagine.** Alla fine dell'attività chiedete agli studenti di sottolineare i verbi al passato come già avete fatto in **D1**. Qualcuno noterà che alcuni verbi sono accompagnati dall'ausiliare *essere*. *Che tipo di verbi sono?* Stimolateli a formulare delle ipotesi. Se gli studenti non sono molto esperti di terminologia linguistica è opportuno evitare spiegazioni troppo tecniche basate sui concetti *transitivo* e *intransitivo*.

Soluzioni: *treno, Pisa, bicicletta, a Pisa, ristorante, mare, negozi.*

Pag. 72, D4 – Mettiamo a fuoco

Descrizione: Vedi **D3**.

Tempo: 20 minuti.

Procedimento: fate eseguire l'attività a coppie e verificate che sia chiaro l'accordo del participio passato con il soggetto.

Pag. 72, D5 – Ora tocca a voi!

Tempo: 40 minuti.

Procedimento: attività orale e scritta. Potete far svolgere questa attività prima a coppie e poi ogni studente parlerà alla classe delle vacanze del compagno.
Questa sezione viene chiusa con un **gioco** della durata di circa 10 minuti per verificare, in modo ludico e divertente, se gli studenti abbiano capito l'uso dell'ausiliare nella formazione del passato prossimo. Svolgete l'attività come da consegna.

Soluzioni: avere: *conoscere, vendere, sentire, preferire, sapere, avere, comperare, capire, parlare, mangiare, cenare;* **essere:** *venire, uscire, arrivare, partire, essere, tornare, andare.*

Obiettivi sezione E: approfondiamo ancora il passato con alcuni participi irregolari.

Pag. 73, E1 – Che cosa è successo?

Descrizione: 3 disegni che rappresentano: **a** una donna che non trova il portafoglio, **b** una coppia che ha appena perso il treno, **c** un insegnante alla lavagna.

Tempo: 25 minuti.

Procedimento: Vedi **Presentazione – Come usare l'immagine**.

Pag. 73, Scambio di idee

Tempo: 20 minuti.

Procedimento: Vedi **Presentazione – Scambio di idee**

Vedi **Unità 6** **+4** **Scalata al successo!**

Obiettivi della sezione F: aiutare gli studenti con l'accento di parola.

2.14 Pag. 74, F1 – L'accento di parola

Tempo: 20 minuti.

Procedimento: attività di ascolto e completamento. Fate svolgere l'attività come da consegna prima individualmente e poi a coppie. Ripetete l'ascolto per un minimo di 3 volte.

2.15 Pag. 74, F2 – Quale delle tre parole ha l'accento giusto?

Tempo: 15 minuti.

Procedimento: è un esercizio da far svolgere a coppie e verificare in plenum. Fate notare agli studenti il riquadro con la coniugazione del verbo *parlare* al presente. Leggetela voi per primi e poi fate ripetere.

Soluzioni: *paròla, farmacìa, màngiano.*

Pag. 74, L'angolo della cartolina

Descrizione: una cartolina da Cortina d'Ampezzo.

Tempo: 20 minuti.

Procedimento: invitate gli studenti a coppie a guardare e a leggere la cartolina e incoraggiateli a fare molte ipotesi sul luogo e il tipo di vacanza.

Pag. 75, Italia Oggi – Dove vanno in vacanza gli italiani?

Descrizione: un testo sulle mete turistiche predilette dagli italiani per le loro vacanze, con informazioni sulle caratteristiche delle varie località.

Tempo: 30 minuti.

Procedimento: chiedete agli studenti se hanno visitato l'Italia e quali città conoscono, potete cogliere l'occasione per fare un ripasso delle regioni italiane usando la cartina geografica dell'Italia che si trova nel manuale. Procedete come da consegna.

Info: naturalmente il testo si concentra su alcune delle molte località turistiche italiane e riguarda solo gli spostamenti all'interno del Paese, anche se è in forte aumento la tendenza degli italiani a scegliere di trascorrere le loro vacanze all'estero, ad es. nel Mar Rosso (Sharm El Sheik), Grecia, Tailandia, Cuba, ecc.

I siti consigliati: www.enit.it: il sito dell'Ente Nazionale Italiano per il Turismo, presenta diverse sezioni: Arte, Natura, Storia, Sapori, Tempo libero, Terme, servizi con informazioni pratiche per fare turismo in Italia e un motore di ricerca per rintracciare località e orientarsi nelle regioni e nelle province italiane. www.turismo.it, www.italiaturismo.com: questi siti sono prodotti e gestiti da agenzie private e quindi contengono anche pubblicità e offerte commerciali, ma sono molto ricchi di servizi informativi sull'Italia come meta turistica, il secondo è consultabile anche in lingua inglese.

Attività supplementari

Unità 6 **+1** **Voglio, non so, devo**

Quando: dopo il punto A3.

Obiettivo didattico: esercitazione sui verbi modali *volere*, *dovere* e *sapere*.

Partecipanti: individuale, a coppie.

Tempo: circa 20 minuti.

Materiale: una copia di pagina 94 per ogni studente.

Preparazione: date a ogni studente una copia di pagina 94.

Svolgimento: dite agli studenti di completare lo schema scrivendo quali sono 5 cose che nella loro vita vogliono assolutamente fare, 5 cose che per adesso non sanno fare e 5 che devono purtroppo fare. Dopo aver concesso circa 10 minuti per completare lo schema, divideteli in coppie e fateli discutere sulle scelte fatte. Alla fine dell'attività potete fare delle domande a caso chiedendo a uno studente cosa vuole, non sa o deve fare il suo compagno.

Variante: potete anche chiedere a uno studente di immaginare cosa vuole un altro studente e poi chiedere conferma allo studente nominato.

Unità 6 **+2** **Andiamo in vacanza**

Quando: dopo il punto B2.

Obiettivo didattico: esercitazione sul lessico relativo alle vacanze.

Partecipanti: a coppie, in plenum.

Tempo: circa 30 minuti.

Materiale: una copia di pagina 95 per ogni coppia.

Preparazione: date a ogni coppia di studenti una copia di pagina 95.

Obiettivo del gioco: ogni coppia deve indovinare il luogo scelto dalle altre coppie per andare in vacanza.

Svolgimento: invitate le coppie ad osservare le immagini e dite loro di sceglierne una, senza dire quale, e di pensare a che cosa porterebbero con sé per andare in vacanza in quel luogo. Alla fine fate dire agli studenti di ogni coppia cosa porteranno in vacanza e invitate le altre coppie a identificare nelle 4 immagini il luogo dove ognuno ha intenzione di andare.

Ampliamento: formate nuove coppie e dite di creare dei dialoghi con un agente di viaggio per organizzare la vacanza nella località che avevano scelto prima.

Unità 6 **+3** **Chi ci va?**

Quando: dopo il punto C3.

Obiettivo didattico: esercitazione sul pronome *ci*.

Partecipanti: a coppie, in plenum.

Tempo: circa 15 minuti.

Materiale: per ogni coppia una copia di pagina 96.

Preparazione: distribuite a ogni coppia di studenti una copia di pagina 96.

Svolgimento: dite agli studenti di osservare attentamente le immagini e di discutere a coppie su dove dovrebbero andare quelle persone per sentirsi meglio. Dopo aver dato 2 o 3 minuti di tempo fate delle domande a ogni coppia e invitateli a usare il pronome *ci* nelle risposte. Utilizzate la struttura dell'esempio o inventate altre possibili domande.

Esempio: Insegnante: *Chi va dal dottore?*
Coppia A: *Ci va Paolo!*
Insegnante: *Quando ci va?*
Coppia A: *Ci va subito!*
Insegnante: *Con chi ci va?*
Coppia A: *Con la moglie.* Ecc.

Domande iniziali e soluzioni:

Chi va in banca?	(Marcella)
Chi va dal dentista?	(Maria)
Chi va al ristorante?	(Vincenzo)
Chi va a letto?	(Francesca)
Chi va al caldo?	(Luca)
Chi va dal dottore?	(Paolo)
Chi va in farmacia?	(Gino)
Chi va in vacanza?	(Michela)

Unità 6 **+4** **Scalata al successo!**

Quando: dopo il punto E1.

Obiettivo didattico: esercitazione sul passato prossimo con ausiliari *essere* e *avere*.

Partecipanti: 2 squadre.

Tempo: circa 20 minuti.

Materiale: una copia in formato A3 del tabellone di pagina 97, e due pedine.

Preparazione: dividete la classe in due gruppi ed eleggete un capogruppo. Ponete tra i due gruppi una copia del tabellone. Una pedina per gruppo.

Obiettivo del gioco: partendo dalla casella A o B, vince il gruppo che per primo arriva all'ultima casella, quella con la scritta *Scalata al successo*.

Svolgimento: dite agli studenti che direte un verbo all'infinito e che ogni gruppo ha 1 minuto di tempo per pensare a una frase al passato di minimo 5 parole. Dite loro di scrivere la frase su un foglio e allo scadere del tempo fatela leggere al capogruppo. Se la frase risulta essere corretta, il gruppo avanza di una casella, al contrario resta ferma. Quando un gruppo giunge sulla casella *Scalata al successo!*, ponete quest'ultima domanda: *"Successo" è il passato di quale verbo?* Vince chi risponde correttamente. È probabile che entrambi i gruppi giungano all'ultima casella contemporaneamente. In tal caso vince il gruppo che risponde più velocemente.

Esempio: Insegnante: *Parlare!*
Gruppo A: *Luca ha parlato con Nicola.*
Gruppo B: *Io non ho parlato.*
Gruppo A avanza di una perché nella sua frase ci sono 5 parole. Gruppo B resta fermo.

Nota: correggete solo l'ausiliare *essere* o *avere* e l'accordo del participio, quando si usa l'ausiliare *essere*. Ovviamente se una frase ha una parola inaccettabile va corretta.

Verbi: casella 1: *venire*, casella 2: *comprare*, casella 3: *vendere*, casella 4: *scrivere*, casella 5: *andare*, casella 6: *vedere*, casella 7: *capire*, casella 8: *fare*, casella 9: *rubare*, casella 10: *uscire*.
Diamo altri 5 verbi per la necessità di fare ulteriori domande: *conoscere, cenare, preferire, parlare, tornare.* Potete utilizzare anche altri verbi diversi da quelli consigliati o riutilizzare il gioco in futuro per esercitare altri tempi verbali.

Voglio...	Non so...	Devo...
....	....	....
....	....	....
....	....	....
....	....	....
....	....	....
....	....	....
....	....	....
....	....	....
....	....	....
....	....	....

.... vuole	....
	....
	....
.... non sa	....
	....
	....
.... deve	....
	....
	....

CaffèItalia 1 Guida per l'insegnante © ELI 2005

Arrivo

La scalata al successo!

	10	10	
	9	9	
	8	8	
	7	7	
	6	6	
	5	5	
	4	4	
	3	3	
	2	2	
	1	1	

A **B**

Partenza

Unità 6 - Esercizi supplementari - Prima parte

1 *In quale stagione è possibile?*

1. Prendere il sole in spiaggia. ....

2. Sciare in montagna. ....

3. Con il primo sole fare passeggiate rilassanti in campagna. ....

4. Andare in canoa. ....

5. Raccogliere funghi nel bosco. ....

6. Bere il vino nuovo. ....

7. Vedere le partite di hockey sul ghiaccio. ....

8. Comprare nei negozi uova decorate. ....

2 *Completate i dialoghi.*
vogliamo – mai – vuole – voglio – qualche volta – voglio – sempre – vuoi

Maria: .... venire al mare con me? Cerco qualcuno che .... fare le stesse cose che voglio fare io, come ad esempio stare in spiaggia quasi ....

Martina: Sì, va bene stare in spiaggia. Ho due settimane di vacanza. .... riposarmi e fare finalmente un po' di attività fisica.

Maria: Cosa vuoi fare esattamente?

Martina: .... prendere il sole, fare un po' di windsurf e .... giocare a beach volley. E tu?

Maria: Non lo so. Sicuramente non vorrei fare gite culturali. Studio già abbastanza durante l'anno. Ti va bene?

Martina: Credo proprio di sì. Però .... andare insieme qualche volta in discoteca?

Maria: Ma certo.

3 *Completate secondo il modello.*
Esempio: *Posso parlare tedesco, ma voi non potete.*

1. Devo andare in banca, ma voi ....

2. Posso capire il tedesco, ma voi ....

3. Voglio parlare con la segretaria, ma tu ....

4. Posso usare la bicicletta, ma lei ....

5. Voglio andare a ballare, ma loro ....

6. Devo visitare il museo, ma voi ....

7. Voglio invitare Silvia, ma lei ....

8. Voglio telefonare all'agenzia, ma tu ....

9. Devo nuotare molto, ma loro ....

10. Posso andare in vacanza, ma voi ....

4 *Completate con* **volere, potere, dovere.**

1. Se sei libera, questa sera (noi) .... andare al ristorante cinese: pago io.

2. (io) .... aprire la finestra? Fa molto caldo.

3. Siamo felici perché non .... fare i compiti.

4. (noi) .... entrare o .... aspettare ancora molto?

5. Stasera (io) non .... uscire perché .... studiare.

6. (tu) .... portare fuori il cane, per favore?

7. (Voi) .... venire a casa mia stasera?

8. Lisa ha mal di testa e non .... uscire con noi.

Unità 6 - Esercizi supplementari - Seconda parte

5 *Cambiate la frase con* **qualche** *o viceversa con* **alcuni/e.**
Esempio: *Alcune persone vogliono visitare il museo.* → *Qualche persona vuole visitare il museo.*

1. Alcune volte vorrei andare al cinema. → .... volt........... vorrei andare al cinema.

2. Qualche opera d'arte è straordinaria. → .... oper........... d'arte sono straordinari........... .

3. Ci sono alcune ragazze bionde. → C'è .... ragazz........... biond........... .

4. Compro qualche cartolina. → Compro .... cartolin........... .

5. Conosco alcuni italiani. → Conosco .... italian........... .

6. Capisco qualche parola di francese. → Capisco .... parol........... di francese.

7. Chiedi alcune informazioni! → Chiedi .... informazion...........!

8. Ho alcune idee. → Ho .... ide........... .

9. Ho qualche problema. → Ho .... problem........... .

10. Prendi anche qualche CD. → Prendi anche .... CD.

6 *Oggi è mercoledì 15 settembre: riordinate in successione gli avverbi di tempo e definite la data.*
oggi – la settimana prossima – domani – tre giorni fa – la settimana scorsa – ieri – fra quattro giorni

1. Dal 6 al 12 settembre ....
2. Il 12 settembre ....
3. Il 14 settembre ....
4. Il 15 settembre ....
5. Il 16 settembre ....
6. Il 19 settembre ....
7. Dal 20 al 26 settembre ....

7 *Completate con i participi passati.*
1. Ieri Federico ha (lavorare) .... fino a tardi.
2. Ha (vendere) .... tutto.
3. Quando hai (comprare) .... questa mozzarella?
4. Questa notte non avete (dormire) .... ?
5. Abbiamo (ballare) .... tutta la notte.
6. Marco ha (accompagnare) .... Luisa a casa.
7. Non ho (capire) .... Puoi ripetere?
8. Non hai (credere) .... alle mie parole.
9. La settimana scorsa abbiamo (incontrare) .... le tue amiche.
10. Avete (passare) .... una bella vacanza?

8 *Completate le forme del passato prossimo nel racconto di Giorgia.*
Io e Paolo ieri siamo andat............ in campagna. Anche Marco e Francesca sono venut............ con noi. Io sono arrivat............ a casa di Paolo alle 9.00 e dopo siamo passat............ a casa di Francesca. La loro macchina è rotta e non è partit............ . Così Marco e Francesca sono salit............ sulla nostra macchina e siamo partit............ abbastanza presto. Siamo arrivat............ verso le 11.00 in un piccolo bosco isolato, vicino ad un agriturismo, dove siamo stat............ molto bene per tutto il giorno. Marco e Paolo sono andat............ a raccogliere funghi, ma non sono stat............ fortunati: il clima nei giorni scorsi è stat............ molto caldo e non piove da alcuni giorni. Siamo tornat............ tardi, perché siamo passat............ dall'agriturismo per comprare frutta, verdura e uova fresche e naturali.

9 *E tu dove sei andato/a nel fine settimana scorso?*

....

....

....

Obiettivi sezione A: fornire agli studenti un primo approccio con frasi utili relative all'argomento *"albergo"* e ai numeri ordinali.

Pag. 78, A1 – Che cosa dicono?

Descrizione: due immagini: nella prima si vede un turista alla reception di un albergo, nella seconda una donna sta entrando in un ascensore in cui si trova già un uomo.

Tempo: 20 minuti.

Procedimento: attività orale. Vedi **Presentazione – Come usare l'immagine**.

⌂ 2.16 Pag. 78, A2 – Chi lo dice?

Tempo: 15 minuti.

Procedimento: attività di ascolto. Vedi **Presentazione – Strategie di ascolto. Quando si devono abbinare immagini e mini dialoghi**. Prima di cominciare sottolineate il fatto che solo due dei quattro mini dialoghi corrispondono alle immagini.

Soluzioni: *2, 3*

Pag. 78, A3 – A che piano è?

Descrizione: immagine che rappresenta la legenda dei piani nell'ascensore di un albergo.

Tempo: 15 minuti + 15 minuti (gioco).

Procedimento: Vedi **Presentazione – Come usare l'immagine**. Questa sezione si chiude con un **gioco** per attivare in modo ludico e divertente i numeri ordinali. Svolgete l'attività come da consegna.

Obiettivi sezione B: gli studenti entrano in contatto con il linguaggio usato per prenotare una camera d'albergo.

⌂ 2.17 Pag. 79, B1 – Come sono le camere?

Descrizione: Carlo telefona all'albergo Bentivoglio per prenotare una camera.

Tempo: 25 minuti.

Procedimento: Attività di ascolto e di completamento. Vedi **Presentazione – Strategie d'ascolto. Dialoghi lunghi.**

Soluzioni: *non fumatori, TV satellitare, frigobar, came-*

ra per disabili, camere doppie, telefono diretto, vasca da bagno.

⌂ 2.17 Pag. 79, B2 – Avete camere libere?

Descrizione: Vedi **B1**.

Tempo: 25 minuti.

Procedimento: Vedi **Presentazione – Strategie d'ascolto. Dialoghi lunghi.**

Soluzioni: 1. *una camera matrimoniale,* **2.** *per 8 notti,* **3.** *camere doppie,* **4.** *140 euro con la colazione,* **5.** *la vasca da bagno e la doccia,* **6.** *un fax*

⌂ 2.17 Pag. 79, B3 – Mettiamo a fuoco

Descrizione: Vedi **B1**.

Tempo: 25 minuti.

Procedimento: attività di ascolto e completamento. Vedi **Presentazione – Strategie d'ascolto. Le tabelle.**

Pag. 80, B4 – Il fax di conferma

Descrizione: immagine del fax che Carlo deve compilare per la prenotazione.

Tempo: 20 minuti.

Procedimento: attività scritta da svolgersi a coppie. Verificate in plenum.

Soluzioni: *prenotazione, prenotazione, bagno, a notte, per 8 notti, saluti.*

Pag. 80, B5 – Ora tocca a voi!

Tempo: 30 minuti.

Procedimento: attività orale a coppie. Poi di scrittura. Dopo aver formato le coppie spiegate agli studenti che uno di loro dovrà assumere il ruolo di un impiegato d'albergo che troverà in appendice alla pagina 208 e l'altro di un cliente che vuole prenotare due camere. Alla fine dell'attività fate drammatizzare il dialogo di fronte alla classe. In conclusione, a coppie, fate scrivere il fax per confermare la prenotazione. Fate una verifica finale.

Vedi **Unità 7** **+1** Dove prenoto?

Obiettivi della sezione C: approfondiamo l'argomento dell'unità e presentiamo i pronomi diretti atoni accompagnati al passato prossimo, cercando di stimolare immediatamente all'uso nella lingua parlata.

Pag. 80, C1 – I regali dalle vacanze

Descrizione: Giorgio e Giovanna, di ritorno da Capri, hanno portato alcuni regali, fra cui: una bottiglia di limoncello, un braccialetto, due CD, due statuette di ceramica.

Tempo: 20 minuti.

Procedimento: prima di far leggere le didascalie delle immagini fate formulare delle ipotesi agli studenti chiedendo direttamente a loro per chi potrebbero essere i regali. Leggete poi insieme le didascalie e portate la loro attenzione sull'accordo del participio con l'oggetto.

Pag. 81, C2 – Mettiamo a fuoco

Tempo: 25 minuti.

Procedimento: disponete gli studenti a coppie e fate completare la tabella di *grammatica attiva*. Procedete poi con l'esercizio di attivazione orale dell'attività, dopo aver guardato insieme l'esempio e aver verificato che non ci siano incomprensioni.

Pag. 81, C3 – Ora tocca a voi!

Tempo: 20 minuti.

Procedimento: attività orale. Formate delle coppie e invitate gli studenti a porsi delle domande come da consegna. Possono aiutarsi con i suggerimenti presenti nella tabella. Prima di cominciare fate notare agli studenti "*le festività*" illustrate accanto alla tabella delle espressioni utili. Potete usarle alla fine per stimolare gli studenti a parlare delle feste del loro Paese, dei regali che fanno o che ricevono in queste occasioni.

Vedi **Unità 7** **+2** **Chi l'ha fatto?**

Obiettivi sezione D: continuiamo a far familiarizzare gli studenti con l'uso del passato prossimo, presentando questa volta i verbi riflessivi. Forniamo inoltre alcune espressioni idiomatiche: *Beato te!*, *A proposito…*, *Insomma*, *Non vede l'ora di…*

2.18 **Pag. 82, D1 – Vi accompagno all'albergo**

Descrizione: Carlo va a prendere sua cugina Franca e suo marito Thomas, alla stazione.

Tempo: 25 minuti.

Procedimento: Vedi **Presentazione – Strategie d'ascolto. Dialoghi lunghi.**

Soluzioni: *no, sì, sì, no, no.*

2.18 **Pag. 82, D2 – Mettiamo a fuoco**

Descrizione: Vedi **D1**.

Tempo: 20 minuti.

Procedimento: attività di ascolto e completamento. Vedi **Presentazione – Strategie d'ascolto. Le tabelle.** Verificate che tutti gli studenti abbiano compreso chiaramente l'uso dei riflessivi al passato. Fate notare le espressioni idiomatiche presenti nella tabella e chiedete se esistono equivalenti nella loro lingua. Concludete con l'esercizio di rinforzo scritto.

Soluzioni: *sono, ho, abbiamo, sono, è, abbiamo, siamo, abbiamo, ha.*

Vedi **Unità 7** **+3** **Che cosa abbiamo fatto?**

Obiettivi sezione E: parlare del tempo e introdurre il lessico dei colori e dei capi di abbigliamento, porre in evidenza i casi di accordo tra gli aggettivi dei colori e il soggetto.

2.19 **Pag. 83, E1 – Che tempo fa?**

Descrizione: Franca e Thomas, in una stanza d'albergo, ascoltano le previsioni del tempo in TV.

Tempo: 25 minuti.

Procedimento: attività di ascolto e completamento. Vedi **Presentazione – Strategie d'ascolto. Come usare l'immagine.**

Pag. 83, E2 – Ora tocca a voi!

Tempo: 20 minuti.

Procedimento: attività orale a coppie. Fate procedere come da consegna.

Pag. 84, E3 – Il programma del 16 settembre

Descrizione: e-mail di Carlo ai genitori sul programma del giorno dopo con i cugini e poi, a pag. 85, il vocabolario illustrato con i capi di abbigliamento.

Tempo: 30 minuti.

Procedimento: fate leggere l'e-mail agli studenti individualmente, date tre minuti e poi fate fare un confronto a coppie. Fate continuare a coppie il resto dell'attività. Verificate che siano chiari i nomi dei capi di abbigliamento e il sistema dell'accordo fra gli aggettivi di colore "variabili" e il soggetto.

Pag. 85, Scambio di idee

Tempo: 30 minuti.

Procedimento: Vedi **Presentazione – Scambio di idee.**

Vedi **Unità 7** **+4** **Che cosa mi posso mettere?**

Obiettivi della sezione F: aiutare gli studenti a distinguere e a pronunciare i suoni /l/ e /r/.

2.20 **Pag. 86, F1 – Elle o erre?**

Tempo: 15 minuti.

Procedimento: attività di ascolto e trascrizione. Fate svolgere l'attività come da consegna prima individualmente e poi a coppie. Ripetete l'ascolto per un minimo di 3 volte.

2.21 **Pag. 86, F2 – Una foto di famiglia**

Tempo: 15 minuti.

Procedimento: attività di ascolto e completamento. Fate svolgere l'attività come da consegna e presentate anche lo scioglilingua proposto nel riquadro dei consigli per l'apprendimento, facendolo ripetere agli studenti in modo divertente.

Pag. 86, L'angolo degli annunci

Descrizione: 4 annunci che pubblicizzano 4 differenti hotel (materiale costruito in analogia a quelli autentici).

Tempo: 20 minuti.

Procedimento: gli studenti a coppie guardano e leggono gli annunci. Dovranno poi decidere quale albergo è il più adatto per le persone descritte nella consegna e spiegarne le ragioni. Alla fine si potrà fare un confronto con tutta la classe.

Pag. 87, Italia Oggi – Vacanze alternative

Descrizione: le vacanze alternative degli italiani.

Tempo: 30 minuti.

Procedimento: Chiedete agli studenti se qualcuno sa che cos'è una vacanza alternativa. *L'hanno mai fatta? Dove sono andati?* Quando vedete che c'è sufficiente coinvolgimento procedete come da consegna.

Attività supplementari

Unità 7 **+1** **Dove prenoto?**

Quando: dopo il punto B5.

Obiettivo didattico: esercitazione e ampliamento sul lessico relativo alle prenotazioni alberghiere e all'albergo.

Partecipanti: a coppie.

Tempo: circa 40 minuti.

Materiale: 1 copia di pagina 105 per ogni coppia.

Preparazione: dividete la classe in coppie e distribuite a ogni coppia una 1 copia di pagina 105 con le descrizioni di diversi hotel tratte da pagine di Internet.

Obiettivo del gioco: ogni coppia deve individuare l'hotel legato alle frasi lette dall'insegnante. Un punto sarà assegnato alla coppia più veloce.

Svolgimento: dite agli studenti che leggerete delle frasi riferite ad alcuni degli hotel che vengono descritti negli annunci presenti nella pagina che avete distribuito e che dovranno dire per ogni frase a quale hotel corrisponde. Informate che ripeterete le frasi 3 volte. La prima volta abbastanza lentamente, la terza volta a velocità naturale. Per ogni frase, assegnate un punto alla coppia più veloce nel rispondere. Al termine ascoltate gli abbinamenti fatti, poi fate scegliere uno degli annunci per creare una prenotazione telefonica. Potete anche far drammatizzare i dialoghi fatti.

Frasi e soluzioni:
Questo albergo…
1. è a nord-ovest della Sardegna. (*il primo: Hotel Cala Reale*)
2. dà la possibilità di fare windsurf o giocare a tennis. (*il quarto: Baia Santa Reparata*)
3. è composto da villette con giardino e posto auto. (*il quinto: Villette La Filetta*)
4. si trova a 800 metri dal mare. (*il secondo: I Mirti Bianchi*)

5. gli appartamenti hanno TV, veranda, giardino o terrazzo. (*il terzo: Le Pavoncelle*)
6. offre un giardino, un ascensore e un garage a pagamento. (*il secondo: I Mirti Bianchi*)
7. ha appartamenti con aria condizionata e TV satellitare. (*il quarto: Baia Santa Reparata*)
8. è a meno di un chilometro da S. Teresa. (*il quinto: Villette La Filetta*)
9. gli appartamenti sono molto nuovi e non lontani dal porto turistico. (*il terzo: Le Pavoncelle*)
10. si trova nel golfo dell'Asinara. (*il primo: Hotel Cala Reale*)

Nota: i testi di pagina 105 sono presi da Internet (dal sito http://viaggi.tiscali.it/offerte/alberghi_mare/alberghi_s_teresa.html), pertanto si tratta di materiale autentico con un lessico che va oltre quello conosciuto dagli studenti a questo livello: ciò non dovrebbe ostacolare però la buona riuscita dell'attività, basata sull'individuazione di singole informazioni per ogni testo. In conclusione potrete affrontare la lettura dettagliata dei testi con gli studenti e aiutarli a comprendere un maggior numero di parole e informazioni.

Unità 7 **+2** **Chi l'ha fatto?**

Quando: dopo il punto C3.

Obiettivo didattico: esercitazione sui pronomi diretti atoni con il passato prossimo.

Partecipanti: in due gruppi.

Tempo: circa 20 minuti.

Materiale: 2 copie in formato A3 dell'immagine di pagina 106.

Preparazione: dividete gli studenti in due gruppi e date a ognuno un'immagine.

Obiettivo del gioco: vince chi ottiene più punti rispondendo alle domande dell'insegnante.

Svolgimento: dite agli studenti di osservare l'immagine e le azioni che fanno i vari personaggi. Date loro circa 1 minuto di tempo, poi dite che farete delle domande e che vincerà il gruppo più veloce a rispondere utilizzando un pronome diretto al passato.

Esempio:
Insegnante: *Chi ha chiuso la macchina?*
Gruppo A: *L'ha chiusa Paolo.*

Domande e soluzioni:
Chi ha chiuso la macchina? (*Paolo*)
Chi ha spedito una lettera? (*Maria*)
Chi ha portato i due bimbi al parco? (*Gianna*)
Chi ha preso l'autobus? (*Giorgio*)
Chi ha comprato le scarpe? (*Luisa*)
Chi ha mangiato un panino? (*Marco*)
Chi ha lanciato una palla? (*Ezio*)
Chi ha raccolto i fiori? (*Anna*)
Chi ha comprato un gelato? (*Elio*)
Chi ha chiuso la finestra? (*Carla*)

Ampliamento: è possibile fare altre domande riferite all'aspetto o all'abbigliamento dei personaggi dell'immagine.

Unità 7 **+3** **Che cosa abbiamo fatto?**

Quando: dopo il punto D2.

Obiettivo didattico: esercitazione sui verbi riflessivi al passato.

Partecipanti: a coppie.

Tempo: circa 1 ora.

Materiale: una copia di pagina 107 ogni 16 studenti, da ritagliare in modo da poter dare a ogni coppia di studenti una scheda.

Preparazione: dividete la classe in coppie e date a ogni coppia una scheda di pagina 107.

Obiettivo del gioco: mimare la propria storia ampliandola e descrivere quella degli altri.

Svolgimento: prima di dividere la classe a coppie, scrivete alla lavagna *"verbi riflessivi"* e fate un brainstorming sui verbi riflessivi che conoscono gli studenti. In questa fase introducete anche i verbi che si incontreranno nelle singole schede. Dopo l'attività di brainstorming dividete in coppie gli studenti e a ogni coppia date una scheda. Dite loro che dovranno finire la storia letta per poi mimarla agli altri. Chiarite, girando tra le coppie, eventuali dubbi lessicali. Date per questa fase circa 15 minuti facendo anche alzare gli studenti per provare le scene da mimare.
Fate ora mimare a ogni coppia la sua storia e mentre una mima, le altre dovranno prendere appunti per poi, alla fine dire che cosa è successo in ogni storia vista. Quando ogni coppia ha mimato, invitate gli studenti a scrivere prima e raccontare poi, che cosa hanno fatto gli altri. Quando tutti avranno raccontato le storie e voi ne avrete fatto verificare tra

loro il contenuto, ritirate le storie scritte per poi correggerle a casa.

Verbi riflessivi delle schede: *alzarsi, vestirsi, farsi la barba, truccarsi, spogliarsi, mettersi il pigiama, addormentarsi, divertirsi, arrabbiarsi, accorgersi, vergognarsi, sentirsi male, sedersi, annoiarsi, mettersi la vestaglia, prepararsi la colazione, farsi la doccia, lavarsi i denti.*

Nota: le prime sei schede sono state fatte per due studenti. Le ultime due sono pensate nel caso in cui il numero degli studenti fosse dispari; pertanto ce n'è una con un solo personaggio (nella quale la storia è raccontata col "tu") e una con 3 personaggi. Rimane a discrezione dell'insegnante la scelta di come dividere gli studenti.

Unità 7 **+4** **Che cosa mi posso mettere?**

Quando: dopo il punto E3.

Obiettivo didattico: esercitazione sul lessico dell'abbigliamento, sui colori e i materiali.

Partecipanti: a coppie oppure in gruppi di tre.

Tempo: circa 30 minuti.

Preparazione: dividete gli studenti a coppie o a gruppi di tre.

Obiettivo del gioco: descrivere l'abbigliamento in base alla situazione data.

Svolgimento: dite agli studenti che dovete andare in un posto, ad esempio *"a un matrimonio"*, e non sapete cosa mettervi né voi né vostra/o moglie/marito. Date a ogni coppia 2 minuti per descrivervi l'abito ideale da indossare. Potete assegnare un punto alla coppia che vi presenterà i vestiti più adeguati alla situazione o più bizzarri.

Situazioni: *un matrimonio, un funerale, un battesimo, una festa di laurea, il compleanno di un amico, al mare, al compleanno di Madonna, al primo appuntamento con…, una cena di lavoro, ecc.*
Oppure: *devo fare un viaggio lungo in aereo, una gita al parco, ecc.*

Variazione: potete chiedere a ogni coppia di studenti di proporre, a turno, una situazione per la quale tutti gli altri dovranno descrivere i vestiti adatti.

HOTEL	DESCRIZIONE
HOTEL CALA REALE	L'hotel sorge a Stintino, all'estremità nord-occidentale della Sardegna, nel golfo dell'Asinara, tra l'antico borgo marinaro, Capo Falcone, l'isola Piana e l'isola dell'Asinara, in vista di un mare che offre la più limpida trasparenza. **Hotel Cala Reale 07040 Stintino** **Tel. 079/523127 - 079/523267** Nel periodo invernale: 079/271440 www.calareale.it - E-mail: info@calareale.it
I MIRTI BIANCHI	Di nuovissima realizzazione, è situato a pochi passi dal centro, a 800 mt dal mare. Dispone di giardino, ascensore, reparto lavanderia e garage (a pagamento). Appartamenti ben arredati con aria condizionata, TV, 1 o 2 servizi, giardino o terrazzo attrezzati. Straordinarie offerte per Luglio e Agosto. **Via Tibula 07028 - Loc. Santa Teresa di Gallura (SS)** **Numero Verde 848-6907017 - Fax 0789/754678** E-Mail: gtvacanze@tiscalinet.it
LE PAVONCELLE	Nuovissimi appartamenti situati in una zona tranquilla a pochi passi dal porticciolo turistico e dal centro, a 900 mt. dal mare. Gli appartamenti arredati e rifiniti con materiali di pregio, dispongono di TV, veranda o terrazzo o giardinetto. Reparto lavanderia. Garage a pagamento. Straordinarie offerte per Luglio e Agosto. **Via Tibula 07028 - Loc. Santa Teresa di Gallura (SS)** **Numero Verde 848-6907017 - Fax 0789/754678** E-Mail: gtvacanze@tiscalinet.it
BAIA SANTA REPARATA	Residence a 2 km da S. Teresa. Appartamenti a schiera quasi tutti con vista mare. Trilocali dotati di aria condizionata, TV via satellite, lavasto-viglie e lavatrice. Servizi: supermarket, ristorante, piscina, snackbar sulla spiaggia, tennis, minigolf e windsurf; nelle vicinanze diving-center e maneggio (a pagamento). Straordinarie offerte per Luglio e Agosto. **Via Tibula 07028 - Loc. Santa Teresa di Gallura (SS)** **Numero Verde 848-6907017 - Fax 0789/754678** E-Mail: gtvacanze@tiscalinet.it
VILLETTE LA FILETTA	La zona La Filetta, a poche centinaia di metri da Santa Teresa, è composta da incantevoli villette singole e a schiera, tutte nuove e ottimamente rifinite, ideali per chi vuole passare una vacanza in pieno relax. Villette con giardino, posto auto lontano dal caos e a pochi passi dal paese. Straordinarie offerte per Luglio e Agosto. **Via Tibula 07028 - Loc. Santa Teresa di Gallura (SS)** **Numero Verde 848-6907017 - Fax 0789/754678** E-Mail: gtvacanze@tiscalinet.it

Marco e Lucia si sono alzati alle 7.00 e si sono vestiti.
Marco si è fatto la barba e Lucia si è truccata.
Dopo…

1

Paolo e Chiara sono tornati a casa tardi. Si sono spogliati e si sono messi il pigiama.
Alle 24,00 si sono addormentati, ma…

2

Due amiche sono andate in discoteca. All'inizio si sono divertite molto, ma poi una delle due ha bevuto troppo.
Allora…

3

Luisa è andata alla banca. Era in fila quando una signora le è passata davanti.
Allora Luisa si è arrabbiata e ha cominciato a urlare.
Anche la signora ha urlato. Luisa allora si è accorta della sorpresa di tutti e si è vergognata molto. Allora…

4

Una ragazza è seduta. Una signora, in piedi vicino a lei, si è sentita male.
Allora la ragazza si è alzata e la signora si è seduta, ma…

5

Paolo, a casa, si è annoiato di studiare. Si è alzato dalla sedia ed è andato a telefonare a un amico.
Il suo amico dorme. Si è svegliato al suono del telefono e si è alzato per rispondere…

6

Ti sei svegliata/a alle 3,00 perché hai sentito uno strano rumore.
Ti sei alzato/a, ti sei messo/a la vestaglia. Hai aperto la porta e…

7

Paola si è alzata alle 6 e si è preparata la colazione. Poi si è fatta la doccia. Anche il marito si è svegliato, si è vestito ed è andato a mangiare.
Il loro figlio si è alzato per ultimo. Si è vestito e ha fatto colazione. Dopo si è lavato i denti e tutta la famiglia…

8

Unità 7 - Esercizi supplementari - Prima parte

1 *Che mese dell'anno è? Completate con il numero ordinale.*

Marzo è il .... mese dell'anno.

Agosto è l'.. mese dell'anno.

Gennaio è il .... mese dell'anno.

Settembre è il .... mese dell'anno.

Maggio è il .... mese dell'anno.

Febbraio è il .... mese dell'anno.

2 *Completate il fax con le parole date.*

prenotare – Oggetto – attenzione – colazione – Signor – Confermo – saluti – credito

Albergo Flora

Alla cortese ....

del .... Stefanini

Roma, 15 giugno 20......

.... : prenotazione camera singola.

Gentile Direzione, vorrei .... una camera singola con bagno per il 12 e 13 agosto. Vorrei sapere il

costo della camera, ... compresa. .... la prenotazione entro questa settimana.

Vorrei anche sapere se è possibile pagare con la carta di ....

Cordiali .... ,

Valentina Fanti

3 *Completate le risposte con il pronome diretto e fate l'accordo del participio passato.*

1. Chi ha comprato il latte? .... ho comprat........ io.
2. Chi ha regalato la giacca a Pietro? A Pietro .... ha regalat........ sua madre.
3. Chi ha preso le chiavi? .... ha pres........ Giovanna.
4. Chi ha trovato i miei occhiali? .... ha trovat........ Alessia.
5. Chi ha lavato i piatti? Non .... ha lavat........ nessuno.
6. Chi ha mangiato le arance? .... hanno mangiat........ i bambini.
7. Chi ha guardato la TV? .... ha guardat........ tuo nonno.
8. Chi ha visitato Roma? .... abbiamo visitat........ noi.
9. Chi ha scoperto l'America? .... ha scopert........ Cristoforo Colombo.
10. Chi ha spedito le lettere? .... ha spedit........ Matteo.

4 *Che festa è? Indovinate e scrivete il nome di ogni festa.*

1. È la festa che tutti gli italiani passano in famiglia, a casa, al caldo e di solito, nelle due settimane che seguono, diventano più grassi di due chili. ....

2. Non è una festa tradizionale italiana, è importata dagli Stati Uniti, ma è così romantica! ....

3. È la festa della primavera, non ha una data fissa, ma è tradizione andare a fare il picnic in campagna il giorno dopo, il lunedì dell'Angelo. ....

4. Si mangia molto bene, a mezzanotte si beve spumante e si festeggia l'anno nuovo con gli amici, ma soprattutto con la persona che si ama. ....

Unità 7 - Esercizi supplementari - Seconda parte

5 *Completate le frasi con i verbi riflessivi.*
alzarsi – sporcarsi – asciugarsi – lavarsi – farsi

1. Dopo la doccia Marcella _si asciuga_ .
   Ma quest'estate dopo il bagno in mare _si_ è sempre _asciugata_ al sole.
2. I bambini quando giocano ....
   Ieri hanno guardato la TV e non .... sono ....
3. A che ora (tu) .... di solito?
   Alle 7.00, ma domenica .... sono .... alle 11.00.
4. Non tutti gli uomini .... la barba.
   Ma tu .... sei .... la barba?
5. Prima di andare a letto (noi) .... i denti.
   Ma questa sera .... siete .... i denti?

6 *Che tempo fa? Completate.*

1. Prendi l'ombrello, perché ....
2. Metto la giacca, perché ....
3. Apri la finestra, perché ....
4. Che bella giornata! ....
5. È un rischio andare al mare: ....

7 *Completate.*

1. Prendo questa gonna ross........ e questo maglione marron........ .
2. È molto bella la maglietta verd........ con i pantaloni bianc........ .
3. Metti in valigia anche l'impermeabile beig........ e la sciarpa ner........ .
4. Devo comprare un cappotto grigi........ .
5. Cosa metto con i pantaloni blu? La giacca bl........ !
6. Bella quella camicetta ros........ con i pantaloni ros........ .

8 *Mettete al passato prossimo le seguenti frasi.*

1. Luca offre un caffè a Carlo. ....
2. Franca spegne il televisore e va a letto. ....
3. Io spendo quasi tutti i miei soldi per andare in vacanza in Italia. ....
   ....
4. Nicolò e Carlotta scrivono una cartolina agli amici. ....
5. Telefono a Ryan ma non risponde. ....
6. Leggiamo un prospetto informativo. ....

9 *Scrivete correttamente le parole mescolate.*

1. Franca ha ACOCES .... la luce della camera
2. Avete TELOT .... il regolamento dell'albergo?
3. Chi ha SOPRE .... le chiavi?
4. Avete STROCIT .... una cartolina ai nonni?
5. Abbiamo PESOS ....un sacco di soldi per l'albergo.
6. Ho SOCHIU .... la finestra perché ho freddo.

Unità 8 – In visita dai nonni

Obiettivo della sezione A: raccontare abitudini riferite al passato.

Pag. 88, A1 – Dove sono? Che cosa fanno? Che cosa si dicono?

Descrizione: 4 immagini di persone anziane con bambini in diverse situazioni familiari.

Tempo: 25 minuti.

Procedimento: attività di descrizione di immagini che vi servirà per ripassare i vocaboli riferiti all'ambito familiare, alla descrizione dell'interno di una casa, alla definizione dell'età dei personaggi e alla loro relazione affettiva e familiare. Mostrate le immagini con le domande guida indicate dal testo.
Potete attivare un gioco di descrizione, formando piccoli gruppi che descrivono i dettagli della fotografia con una frase. Date agli studenti un po' di tempo per scambiarsi alcune idee (3 o 4 minuti). Quindi a turno ogni gruppo dirà una frase (*Il bambino ha i capelli corti*, *Il nonno ha un vestito elegante*, ecc.): il gruppo che non dice nessuna frase viene eliminato e chi resiste di più dicendo l'ultima frase vince. Potete cercare di coinvolgere ancora di più chiedendo a tutti di descrivere una persona di famiglia che per loro è la più importante.
Si può fare un gioco a coppie: due studenti descrivono un loro parente senza dire chi sia e gli altri studenti devono indovinare il grado di parentela. Non preoccupatevi di ottenere descrizioni dettagliate delle relazioni affettive e non anticipate l'argomento dell'unità, ma passate all'attività seguente.

Pag. 88, A2 – Ricordi di infanzia

Tempo: 15 minuti.

Descrizione: invitate ogni studente a compilare la tabella, poi dividete la classe a coppie e fate descrivere la relazione con i nonni, usando la tabella dell'attività. Dapprima sono richieste informazioni al presente, e poi si introduce la prima forma dell'imperfetto. Lasciate che parlino a coppie, controllate l'attività senza intervenire. Se qualcuno richiede il vostro aiuto potete aiutare nella descrizione, ma non anticipate le forme dell'imperfetto in modo sistematico, solo usando le più semplici in conversazione. Fate raccontare senza correggere, ma controllate che usino il verbo suggerito nella consegna dell'attività. Non insistete troppo, ci sarà modo di riprendere e rafforzare queste strutture più avanti.

Pag. 89, B1 – Dove sono? Che cosa dicono?

Descrizione: 4 disegni di situazioni tipiche alla stazione.

Tempo: 20 minuti.

Procedimento: attività di preascolto con l'uso delle immagini. Invitate gli studenti ad osservare i disegni e verificate che non ci siano problemi con i nuovi vocaboli. Formate le coppie e invitateli a descrivere quello che vedono, vedi **Presentazione – Come usare l'immagine.** Per rendere l'attività più dinamica date consegne precise: individuare il luogo, descrivere i personaggi e fare un'ipotesi di dialogo. Verificate poi con tutta la classe le ipotesi e passate all'ascolto.

⨀ 2.23 Pag. 89, B2 – Dialoghi alla stazione

Tempo: 30 minuti.

Procedimento: attività di ascolto e completamento. Sono richieste diverse attività che dividerete dando una consegna mirata per ogni ascolto. Nel primo ascolto vedi **Presentazione – Quando si devono individuare singole parole.** Infine, cambiando le coppie, procedete all'altra attività cioè quella di abbinare il dialogo all'immagine, vedi **Presentazione – Quando si devono abbinare immagini e mini dialoghi.** Invitate gli studenti ad ascoltare i dialoghi e ad abbinarli ai disegni. Verificate con tutta la classe i risultati.

Pag. 89, B3 – Domande alla stazione e in treno

Tempo: 15 minuti.

Procedimento: invitate le coppie di studenti a inserire le parole all'interno dei dialoghi, completando solo quelli che conoscono. Per le parole che non sanno incoraggiateli poi a formulare delle ipotesi di soluzioni. Verificate i risultati e spiegate il lessico.

Obiettivi della sezione C: mettiamo per la prima volta in contatto gli studenti con le forme dell'imperfetto. Ci limitiamo all'imperfetto di descrizione e di espressione di abitudini nel passato, riservandoci di riprenderne gli altri usi nelle prossime unità. Per aiutare gli studenti ad esprimersi con più precisione raccontando fatti al passato forniamo alcune espressioni come *da bambino*, e *andare a trovare qualcuno*.

⨀ 2.24 Pag. 90, C1 – Prima classe in testa

Descrizione: annunci ferroviari.

Tempo: 10 minuti.

Procedimento: attività di ascolto e collegamento. Vedi **Presentazione – Strategie di ascolto. Mini dialoghi.**

Soluzioni: *annuncio nr. 1.*

🎧 2.25 **Pag. 90, C2 – I ricordi di Carlo**

Descrizione: Carlo e Luca sono in treno, vanno ad Ischia dai nonni di Carlo e parlano dei ricordi d'infanzia.

Tempo: 20 minuti.

Procedimento: attività di ascolto. Vedi **Presentazione – Strategie di ascolto. Dialoghi lunghi.**

Soluzioni: 1. *no*; 2. *no*; 3. *sì*; 4. *no*; 5. *no*

🎧 2.25 **Pag. 90, C3 – Da quanto tempo? Quante volte?**

Descrizione: vedi **C2.**

Tempo: 20 minuti.

Procedimento: attività di ascolto e completamento. Vedi **Presentazione – Strategie di ascolto. Dialoghi lunghi.** Fate notare agli studenti le espressioni *da bambino* e *andare a trovare qualcuno.* Avrete probabilmente già notato che quest'ultima viene quasi sempre "tradotta" con il verbo *visitare* spesso usato in modo improprio; cercate quindi di sgombrare il campo da ogni equivoco spiegando che, se *visitate un amico*, o siete un medico o l'amico è la Cappella Sistina…

Soluzioni: *da più di vent'anni, da quando, da bambino, ogni fine settimana, sempre, ogni volta che.*

🎧 2.25 **Pag. 91, C4 – Mettiamo a fuoco**

Descrizione: vedi **C2.**

Tempo: 25 minuti.

Procedimento: attività di ascolto e completamento. Vedi **Presentazione – Strategie di ascolto. Dialoghi lunghi. Le tabelle.** Dopo aver fatto sottolineare i verbi all'imperfetto vi consigliamo di lasciare un po' di tempo agli studenti perché possano fare delle ipotesi sull'uso dell'imperfetto in modo che siano poi loro a spiegarlo a voi e non viceversa. Nelle tabelle di *grammatica attiva* abbiamo inserito anche

alcuni verbi irregolari, quali *fare, stare, essere*, perché il loro uso è talmente frequente da non potere essere ignorati nemmeno in una prima fase.

Pag. 91, C5 – Ora tocca a voi!

Tempo: 25 minuti.

Procedimento: attività orale. Formate delle coppie all'interno delle quali ogni studente racconterà i propri ricordi d'infanzia. Invitateli a porsi delle domande come da consegna e a prendere appunti. Alla fine ogni studente racconterà alla classe i ricordi del compagno.

Vedi **Unità 8** **+1** **La città fantasma**

Vedi **Unità 8** **+2** **Come ero?**

Vedi **Unità 8** **+3** **Cerca qualcuno che da piccolo…**

🎧 2.25 **Pag. 91, C6 – Ehi! Boh?! Eh?**

Descrizione: vedi **C2.**

Tempo: 10 minuti.

Procedimento: attività di ascolto e completamento. Vedi **Presentazione – Strategie d'ascolto. Dialoghi lunghi. Le tabelle.** Quando vi sembra che gli studenti abbiano ben chiaro l'uso di queste espressioni fcategliele usare invitandoli a creare dei mini dialoghi che poi drammatizzeranno di fronte a tutta la classe. Naturalmente anche la gestualità ha la sua importanza, quindi fate prima degli esempi e invitate gli studenti a ripetere.

Obiettivi sezione D: offriamo sempre più elementi agli studenti per raccontare avvenimenti al passato cercando anche di iniziare a chiarire una prima differenza fra l'uso dell'imperfetto e del passato prossimo.

🎧 2.26 **Pag. 92, D1 – Sei mai venuto a Ischia?**

Descrizione: Carlo presenta Luca alla nonna e scambiano due chiacchiere.

Tempo: 20 minuti.

Procedimento: vedi **Presentazione – Strategie d'ascolto. Dialoghi lunghi.** Notate che a fianco dell'attività c'è un riquadro grammaticale che riporta una prima spiegazione della differenza fra imperfetto e passato prossimo. Prima di utilizzarlo, però, fate in modo che siano gli studenti stessi, attraverso le domande dell'attività a fare ipotesi e a cercare di darsi una spiegazione.

Soluzioni: *una volta, a comprare il pane, la nonna, due volte, a Ostia*

Pag. 92, D2 – Mettiamo a fuoco

Descrizione: vedi **D1.**

Tempo: 10 minuti.

Procedimento: attività di ascolto. Vedi **Presentazione – Strategie d'ascolto. Dialoghi lunghi.**

Pag. 92, D3 – Ora tocca a voi!

Tempo: 25 minuti.

Procedimento: attività orale. Formate delle coppie all'interno delle quali ogni studente racconterà alcune esperienze passate di viaggi, sport, ecc. Invitate gli studenti a porsi delle domande come da consegna e a prendere appunti. Alla fine ogni studente racconterà alla classe le esperienze del compagno.

Pag. 93, D4 – Qualcosa è cambiato

Descrizione: due immagini che rappresentano alcune abitudini della vita passata di Claudia e di Sergio, le altre due, invece, abitudini della loro vita attuale.

Tempo: 20 minuti.

Procedimento: vedi **Presentazione – Come usare l'immagine.** Potete anche portare vostre foto vecchie e foto attuali, oppure fotografie della vostra città, com'era una volta e com'è adesso, ecc.

Obiettivi sezione E: invitare gli studenti a parlare di ciò che gli piace e non gli piace con l'aiuto dei pronomi indiretti che incontrano qui per la prima volta.

Pag. 93, E1 – Chi? Che cosa? A chi?

Descrizione: cinque frasi che descrivono 5 azioni diverse e tre immagini che rappresentano: **a** un vigile urbano che indica una direzione a due ragazzi, **b** una signora che dà un pacchetto regalo a un'altra, **c** un uomo più giovane che presenta una signora a un uomo più anziano. Solo tre frasi corrispondono alle tre immagini.

Tempo: 10 minuti.

Procedimento: vedi **Presentazione – Come usare l'immagine. Quando si devono abbinare immagini ai mini dialoghi.**

Pag. 94, E2 – Mettiamo a fuoco

Descrizione: vedi **E1.**

Tempo: 20 minuti.

Procedimento: fate lavorare gli studenti a coppie: devono rivedere le frasi in E1 e utilizzarle per svolgere il compito della consegna. In tal modo incontrano una prima volta i pronomi indiretti atoni senza che questi siano al centro dell'attenzione, concentrata invece sulle informazioni. Verificate le soluzioni e procedete poi alla parte che si riferisce alle tabelle di *grammatica attiva*, vedi **Presentazione – Le tabelle.**

🎧 2.27 **Pag. 94, E3 – Piaceva a Marco o a Lisa?**

Descrizione: Marco e Lisa si sono separati perché non avevano proprio niente in comune.

Tempo: 20 minuti.

Procedimento: attività di ascolto. Vedi **Presentazione – Strategie d'ascolto. Dialoghi lunghi.**

🎧 2.27 **Pag. 94, E4 – Continuate voi!**

Descrizione: vedi **E3.**

Tempo: 15 minuti.

Procedimento: attività di ascolto. Vedi **Presentazione – Strategie d'ascolto. Dialoghi lunghi.**

Pag. 95, E5 – Ora tocca a voi!

Tempo: 20 minuti.

Procedimento: attività orale. Per fare questa attività disponete l'aula in modo che gli studenti possano muoversi liberamente senza impedimenti. Assicuratevi che la consegna sia chiara per tutti. Quando si saranno formati dei gruppetti invitateli a svolgere l'attività come da consegna: a coppie e poi in gruppo per riferire agli altri che cosa piace o non piace alla coppia.

Pag. 95, Scambio di idee

Tempo: 20 minuti.

Procedimento: vedi **Presentazione – Scambio di idee.** L'argomento dovrebbe essere adatto a stimolare una viva discussione con tutta la classe.

Vedi **Unità 8** **+4** **Che cosa gli regali?**

Obiettivi della sezione F: aiutare gli studenti sull'accento di parola che crea sempre parecchi problemi soprattutto nelle forme dell'imperfetto.

♫ 2.28 **Pag. 96, F1 – Accento di parola: verbi all'imperfetto**

Tempo: 15 minuti.

Procedimento: attività di completamento e ascolto. Fate svolgere l'attività come da consegna: prima individualmente, poi a coppie.

♫ 2.28 **Pag. 96, F2 – Accento di parola: nomi e aggettivi**

Tempo: 15 minuti.

Procedimento: prima di iniziare, leggete insieme agli studenti il riquadro dell'attività e aiutateli a capire che la maggior parte delle parole italiane sono piane, hanno cioè l'accento sulla penultima sillaba, ma sono anche molte le parole che hanno l'accento su una sillaba diversa. Formate poi delle coppie e fate eseguire il compito della consegna. Ripetete l'ascolto per un minimo di tre volte.

Pag. 96, F3 – Ora tocca a voi!

Tempo: 20 minuti.

Procedimento: esercizio di scrittura e lettura ad alta voce. Fate svolgere l'attività come da consegna, facendo lavorare individualmente gli studenti. Se preferite, potete assegnare la preparazione come compito per casa, ma è importante che poi si faccia la lettura in classe del racconto preparato, per esercitare la pronuncia dell'imperfetto.

Pag. 96, L'angolo dei giornali

Descrizione: articolo di giornale (materiale autentico).

Tempo: 15 minuti.

Procedimento: invitate gli studenti a coppie a leggere titolo e sottotitolo e fate svolgere l'attività come da consegna.

Pag. 97, Italia Oggi – Italiani oltre i sessanta

Descrizione: la situazione degli anziani in Italia.

Tempo: 30 minuti.

Procedimento: invitate gli studenti ad un brainstorming sulla parola "anziano", dopo esservi sincerati che tutti ne conoscano il significato. Scrivete le parole alla lavagna e verificate con la classe se sono state scelte più parole positive o negative. Procedete poi come da consegna. Alla fine fate un confronto in plenum sulla situazione degli anziani in Italia e nei paesi degli studenti.

Attività supplementari

Unità 8 **+1** **La città fantasma**

Quando: dopo il punto C5.

Obiettivo didattico: uso dell'imperfetto per descrivere cose persone e situazioni al passato.

Partecipanti: a coppie.

Tempo: circa 40 minuti.

Materiale: una copia di pagina 115 per ogni coppia.

Preparazione: dividete gli studenti a coppie e date loro una copia della "*Città fantasma*".

Obiettivo del gioco: ogni studente descrive "*Com'era la città*".

Svolgimento: spiegate agli studenti che hanno di fronte una città fantasma e che prima lì c'erano molti negozi ed edifici. Dite loro di immaginare, ricostruire e raccontare com'era organizzata la città. Date 20 minuti per la preparazione e poi fate alzare in piedi le coppie per descrivere le immagini. Prendete appunti su eventuali errori per poi correggerli poi in plenum.

Unità 8 **+2** **Come ero?**

Quando: dopo il punto C5.

Obiettivo didattico: uso dell'imperfetto per descrivere al passato.

Partecipanti: in plenum.

Tempo: circa 15 minuti.

Materiale: una copia di pagina 116 per ogni studente.

Preparazione: consegnate una copia di pagina 116 a ogni studente la volta precedente a quella in cui intendete far svolgere l'attività.

Svolgimento: dite agli studenti che hanno 75 anni e che davanti a loro c'è un album fotografico. Invitateli a cercare, a casa, delle immagini su qualche rivista, che li "raffiguri" durante la loro vita. Il giorno dopo dividete gli studenti a coppie e dite loro di descriversi reciprocamente le immagini e raccontare la loro vita. A fine attività chiedete a caso, a qualche studente, di descrivere il proprio album fotografico.

Nota: quest'attività è stata pensata per fare lavorare gli studenti prima a casa, ma è possibile chiedere di disegnare le loro immagini in classe.

Unità 8 +3 Cerca qualcuno che da piccolo...

Quando: dopo il punto C5.

Obiettivo didattico: uso dell'imperfetto per descrivere abitudini del passato.

Partecipanti: in plenum.

Tempo: circa 30 minuti.

Materiale: una copia di pagina 117 per ogni studente.

Preparazione: fate alzare in piedi gli studenti e distribuite loro una copia di pagina 117.

Obiettivo del gioco: gli studenti cercano le persone secondo le indicazioni delle frasi sulla copia parlando tra loro.

Svolgimento: dite agli studenti di porre delle domande per provare a trovare almeno una persona che faceva una delle cose indicate dalle frasi. Date in questa fase circa 15 minuti di tempo. Al termine rivolgete una domanda a ogni studente per conoscere i risultati delle indagini svolte, ad es. *Chi ascoltava musica?*

Unità 8 +4 Che cosa gli regali?

Quando: dopo il punto E5.

Obiettivo didattico: esercitazione sui pronomi indiretti con il presente.

Partecipanti: in plenum.

Tempo: circa 15 minuti.

Preparazione: scegliete uno studente e invitatelo a uscire dalla classe.

Obiettivo del gioco: indovinare il personaggio misterioso.

Svolgimento: chiedete agli studenti che sono rimasti in classe di pensare a un personaggio famoso, o a più di uno, al quale dovranno fare un regalo. Invitate poi lo studente che era fuori a entrare e ditegli che deve indovinare il personaggio o i personaggi misteriosi facendo delle domande ai compagni e deducendo chi possa essere dalle risposte.

Nota: sebbene nel titolo del gioco si utilizzi solo il pronome *gli*, gli studenti dovranno adattare le risposte alla domanda: *Che cosa gli regali?* Utilizzando il pronome *Le* nel caso il personaggio fosse di genere femminile.

Ampliamento: il regalo è per uno degli studenti.

DA PICCOLO _

A 10 ANNI _

A 20 ANNI _

A 30 ANNI _

A 40 ANNI _

A 50 ANNI _

Cerca qualcuno che da piccolo...

Dormiva con l'orsacchiotto.

Aveva paura del buio.

Giocava a nascondino.

Litigava con il suo fratellino.

Giocava con la sorellina.

Mangiava pane e cioccolata.

Beveva latte freddo.

Andava in vacanza dai nonni.

Studiava musica.

Voleva diventare dottore.

Usciva sempre con i genitori.

Piangeva sempre.

Parlava due lingue.

Leggeva molti libri.

Guardava molta TV.

Ascoltava molta musica.

Unità 8 - Esercizi supplementari - Prima parte

1 *Completate con il verbo adatto all'imperfetto.*
passare – studiare – avere – giocare – abitare – essere

1. I miei genitori tanti anni fa .... una casa in montagna.

2. Da bambina io .... in periferia.

3. Da piccoli io e mia sorella .... le vacanze dai nonni.

4. Quando Carlo aveva 15 anni .... a calcio.

5. Molti anni fa Luca .... innamorato di Anna.

6. Al liceo voi .... poco.

2 *Riordinate le seguenti frasi.*

1. parte – treno – Il – per – Firenze – cinque – dal – binario
....

2. il – Bisogna – biglietto – convalidare
....

3. attraversare – i – vietato – binari – È
....

4. è – ristorante – Il – in – testa – al treno – vagone
....

5. con – trenta – Il – per Roma – treno – viaggia – minuti di ritardo
....

6. vietato – treno – Sul – è – fumare
....

7. ferma – treno – a Modena – Questo – ?
....

3 *Volete prendere l'Eurostar per Roma. Seguite le istruzioni e scoprite gli anagrammi.*

1. Se viaggiate sabato e domenica la RONATEPIZENO è obbligatoria. ....

2. Dovete pagare il PUSPELMETNO rapido. ....

3. Dovete naturalmente convalidare il GIBLIOTTE prima di partire. ....

4. In stazione ricordate di non TARTARVASERE i binari, ma usate il TOSTOSASPIGOGA.
....

5. Il NAIRIBO non è cambiato? Controllate! Qualche volta succede. ....

6. Cercate il vostro TOSPO. Se è occupato, fate vedere il biglietto e la persona cambia posto. ....

7. Sul treno non TEGATTE oggetti dal finestrino. ....

8. Non è necessario prenotare il SIRTERONTA: quando chiamano per il turno del pranzo, andate direttamente per mangiare. ....

9. NUBO VIGOGIA! ....

4 *Trovate l'intruso.*

1. prima classe – sesta classe – vagone ristorante – locomotiva
2. biglietto – supplemento – scontrino – andata e ritorno
3. binario – autobus – sottopassaggio – macchinetta di convalida
4. Intercity – interregionale – regionale – metropolitana
5. tavolo – posto – scompartimento – finestrino

CaffèItalia 1 Guida per l'insegnante © ELI 2005

Unità 8 - Esercizi supplementari - Seconda parte

5 *Inserite le seguenti espressioni nel dialogo.*
ogni fine settimana – da bambino – da più di dieci anni – da quando – sempre – ogni volta che

● Cosa fai sabato?
○ Se non piove, come ...*sempre*.... vado nella mia casa in montagna. Forse ci vado anche sabato.
● .... ci conosciamo passi i fine settimana in quella casa. Ma cosa fai?
○ .... mi piaceva fare lunghe passeggiate. Ora in montagna mi piace scalare.
● Ma non è pericoloso?
○ No, se fai attenzione. .... pratico questo sport, mi preparo prima con il mio gruppo di amici e non ci vado mai da solo.
● E da quando lo pratichi?
○ ....
● E d'inverno?
○ Vado .... in palestre specializzate per allenarsi a questo sport.

6 *Trasformate all'imperfetto.*

1. È un giorno molto freddo. ....

2. Il mio computer non funziona. ....

3. Telefonate a Marta? ....

4. La lezione finisce alle quattro. ....

5. Luca va sempre in spiaggia. ....

7 *La nonna di Luca mostra a Carlo alcune fotografie di Luca a Ostia. Che cosa faceva di solito? Usate le indicazioni.*
giocare / Maria / spiaggia – fare / bagno / Anna – mangiare / gelato / nonni – pescare / il nonno

....

....

8 *Completate con la forma del passato giusta: imperfetto o passato prossimo?*

1. Mia nonna (preparare) .... sempre la colazione per tutti.

2. Normalmente mia madre (andare) .... a comprare il pane. Solo una volta (andarci) .... mio padre.

3. Una volta Carlo (andare) .... a Ostia ma di solito (passare) .... le vacanze a Ischia.

9 *Rispondete alle domande con i pronomi* **spesso**, **qualche volta, una volta, mai** *ecc.*

1. Sei mai stato/a in Sicilia? ....

2. Hai mai visto la Cappella Sistina a Roma? ....

3. Hai mai assaggiato l'aceto balsamico di Modena? ....

4. Hai mai visitato la Grotta Azzurra di Capri? ....

5. Sei mai salito/a sulla Torre di Pisa? ....

10 *Rispondete alle domande con i pronomi indiretti.*

1. A Luca piace nuotare? ....

2. Ai tuoi amici piace ballare? ....

3. Ti piacciono i cantautori italiani? ....

4. Vi piace la pizza? ....

5. Alla tua amica piace andare al cinema? ....

Unità 9 – A una festa

Obiettivi sezione A: fornire agli studenti un primo approccio con frasi utili per parlare di una festa e presentare in modo attivo la struttura *stare* + gerundio.

Pag. 100, A1 – Chi sono? Dove sono? Che cosa fanno?

Descrizione: tre foto in cui si vedono Carlo, Luca, Marta e Giuliana ad una festa.

Tempo: 10 minuti.

Procedimento: attività orale. Vedi **Presentazione – Come usare l'immagine.**

Pag. 100, A2 – Che cosa dicono?

Descrizione: vedi **A1.**

Tempo: 20 minuti.

Procedimento: attività di completamento e associazione. Svolgendo l'attività prima dell'ascolto, le soluzioni proposte dagli studenti potrebbero essere le più disparate. Prima di cominciare, dite che premierete le più divertenti e originali. Procedete come da consegna. Alla fine, invitate gli studenti a drammatizzare i loro dialoghi di fronte alla classe.

🎧 2.30 **Pag. 100, A3 – Confrontate**

Descrizione: a una festa ci sono Luca, Giuliana, la sorella di Carlo, Carlo e Marta.

Tempo: 25 minuti.

Procedimento: attività di ascolto e completamento. Vedi **Presentazione – Strategie d'ascolto. Quando si devono abbinare immagini e mini dialoghi.**

🎧 2.30 **Pag. 101, A4 – Mettiamo a fuoco**

Descrizione: vedi **A3.**

Tempo: 25 minuti.

Procedimento: vedi **Presentazione – Strategie d'ascolto. Le tabelle.** Dopo il completamento della tabella di *grammatica attiva*, chiudete l'attività con il gioco a squadre proposto. Per riscaldare l'atmosfera iniziate voi mimando alcune situazioni divertenti.

Vedi **Unità 9** **+1** **Che cosa stanno facendo?**

🎧 2.30 **Pag. 101, A5 – Che cosa pensate?**

Descrizione: vedi **A3.**

Tempo: 15 minuti.

Procedimento: vedi **Presentazione – Strategie d'ascolto.** Quest'ultima attività ha lo scopo di dare agli studenti un'ulteriore possibilità di scambiarsi idee e supposizioni personali utilizzando l'espressione "secondo me" evitando l'uso del congiuntivo (introdotto solo nel secondo volume). Carlo spiegherà la ragione della sua irritazione al punto C1 della stessa unità, non è necessario anticiparla ora.

Obiettivi sezione B: approfondiamo l'argomento "*festa*" riprendendo e ampliando le possibilità di formulare inviti o fare proposte (vedi Unità 5, A3 e B2). Come accettare o rifiutare una proposta? E come rilanciare una controproposta?

🎧 2.31 **Pag. 102, B1 – Accettare o rifiutare una proposta**

Descrizioni: sei situazioni in cui si formulano degli inviti che suscitano diverse reazioni.

Tempo: 15 minuti.

Procedimento: vedi **Presentazione – Strategie d'ascolto. I mini dialoghi.**

🎧 2.31 **Pag. 102, B2 – Mettiamo a fuoco**

Descrizione: vedi **B1.**

Tempo: 15 minuti.

Procedimento: attività di ascolto e completamento. Vedi **Presentazione – Strategie d'ascolto. Le tabelle.** Potete concludere questa attività con un gioco: gli studenti formulano su un bigliettino, che poi consegneranno a voi senza firmarlo, un invito per un compagno/a. Voi fate da messaggero, distribuendo l'invito ai destinatari che dovranno prima individuarne il mittente e poi rispondere.

Vedi **Unità 9** **+2** **Tanti inviti**

Pag. 102, B3 – Ora tocca a voi!

Tempo: 25 minuti.

Procedimento: attività orale. Formate dei gruppi e fate eseguire la consegna. Alla fine ogni gruppo spiegherà al resto della classe quando e che cosa festeggeranno e come si dividono i compiti.

Obiettivi della sezione C: approfondiamo l'imperfetto presentandone l'uso nelle azioni contemporanee al passato.

🎧 2.32 **Pag. 103, C1 – Perché Carlo è arrabbiato con la sorella?**

Descrizione: Carlo, piuttosto seccato, racconta che ha dovuto organizzare la festa di laurea della sorella da solo perché lei era troppo occupata a parlare con le amiche e a scegliere abito e trucco.

Tempo: 25 minuti.

Procedimento: attività di completamento, poi di ascolto per verifica. L'attività di completamento del testo precede l'ascolto: si tratta di ricostruire parole e forme verbali che gli studenti dovrebbero già conoscere. Quindi il racconto di Carlo ha due funzioni didattiche: 1) ripasso e rinforzo di elementi già noti; 2) introduzione di un nuovo aspetto grammaticale: l'uso dell'imperfetto per esprimere azioni contemporanee nel passato. Se il gruppo si presta e il tempo ve lo consente, potete far ricostruire la nuova regola d'uso dell'imperfetto agli studenti con il metodo induttivo, prima di attirare l'attenzione sulla spiegazione fornita nel riquadro grammaticale che si trova accanto al racconto di Carlo.

Soluzioni: *racconto, sorella, organizzare, laurea, accettato, successo, faceva, amiche, casa, preparavo, parlava, chiedeva, amiche, lavoravo.*

🎧 2.33 **Pag. 103, C2 – Anche Gianni e Teresa non vanno d'accordo**

Descrizione: Gianni e Teresa, fratello e sorella, hanno alcuni problemi di coabitazione.

Tempo: 20 minuti.

Procedimento: attività di completamento, poi di ascolto per verifica. Vedi **Presentazione – Strategie d'ascolto. Come usare l'immagine. Dialoghi lunghi.**

Pag. 103, C3 – Chi ha ragione? Qual è la soluzione?

Tempo: 20 minuti.

Procedimento: attività orale. Disponete gli studenti e procedete come da consegna, dopo aver verificato che le domande presenti nell'attività siano chiare per tutti. Ricordate agli studenti che possono

esprimere le loro opinioni personali introducendole con l'espressione "*secondo me*" (vedi A5).

Obiettivi sezione D: descrivere l'aspetto fisico e il carattere delle persone; ripassare e arricchire il lessico dell'abbigliamento (vedi Unità 7, E3).

Vedi **Unità 9** **+3** **Che giornata!**

Pag. 104, D1 – Che eleganza!

Descrizione: persone a un matrimonio, tutti sono vestiti in modo piuttosto elegante.

Tempo: 20 minuti.

Procedimento: vedi **Presentazione – Come usare l'immagine.** Procedete come da consegna. Per un'ulteriore attivazione del lessico legato all'abbigliamento potete creare una vera e propria sfilata di moda. Dividete gli studenti in due gruppi, uno di presentatori e uno di modelli, mettete una musica di sottofondo e date inizio alla passerella. I modelli, uno a uno, dovranno sfilare e i presentatori, a turno, ne descriveranno l'abbigliamento. Poi scambiate i ruoli, i presentatori diventeranno modelli e i modelli presentatori.

🎧 2.34 **Pag. 105, D2 – Chi è? Com'è?**

Descrizione: gli invitati al matrimonio di pag. 104 vengono descritti da due di loro che osservano e fanno "*pettegolezzi*".

Tempo: 25 minuti.

Procedimento: attività di ascolto e associazione. Vedi **Presentazione – Strategie d'ascolto. Quando si devono abbinare immagini e mini dialoghi.**

🎧 2.34 **Pag. 105, D3 – Mettiamo a fuoco**

Descrizione: vedi **D2.**

Tempo: 20 minuti.

Procedimento: vedi **Presentazione – Strategie d'ascolto. Le tabelle.**

Pag. 105, D4 – Ancora aggettivi

Tempo: 20 minuti.

Procedimento: vedi **Presentazione – Come usare l'immagine.** Probabilmente gli aggettivi di questa attività sono sconosciuti agli studenti: avvertiteli della difficoltà e fateli lavorare a coppie, stimolandoli a fare delle ipotesi sul significato degli aggettivi. Per la prima lista possono sfruttare l'illustrazione che rappresenta i diversi caratteri, mentre per l'attribuzione dei contrari possono sfruttare diverse strategie: *disordinato* si differenzia da *ordinato* solo per il prefisso, *attivo*, *generoso*, *sincero* possono essere riconosciuti almeno da alcuni studenti per la loro similitudine con gli aggettivi corrispondenti in altre lingue, come l'inglese, il francese, il tedesco, *attento* può richiamare la parola *attenzione* che dovrebbero già conoscere. Dopo una fase di lavoro a coppie fate una verifica nel gruppo rassicurando chi non dovesse avere trovato tutte le soluzioni corrette e insistendo sull'importanza, in questa fase, dello sviluppo di strategie basate sull'ipotesi da verificare.

Soluzioni: 1. *generoso*, **2.** *sincero*, **3.** *disordinato*, **4.** *attivo*, **5.** *attento*.

Pag. 106, D5 – Pregi? Difetti? Né l'uno né l'altro?

Tempo: 20 minuti.

Procedimento: attività orale. Formate delle coppie e procedete come da consegna. Potete poi fare un confronto con tutta la classe.

Vedi **Unità 9** **+4** **Cercasi testimone**

Obiettivi sezione E: forniamo agli studenti strumenti ulteriori per parlare di se stessi e delle proprie abitudini quotidiane, approfondendo anche i verbi riflessivi al passato.

Pag. 106, E1 – Una e-mail

Descrizione: Carlo scrive una e-mail a Luca. Ha mal di testa e si lamenta ancora della sorella.

Tempo: 25 minuti.

Procedimento: attività orale e scritta. Dividete gli studenti in coppie e procedete come da consegna. Prima di far procedere, verificate con qualche domanda che il senso generale dell'e-mail sia chiaro per tutti, ad es. *Quando scrive questa e-mail Carlo?*, *Come sta Carlo?*, *Perché Carlo non telefona a Luca?*, *Carlo è contento di sua sorella?*

Pag. 106, E2 – Mettiamo a fuoco

Tempo: 20 minuti.

Procedimento: formate delle coppie e procedete

come da consegna. Chiudete poi con il gioco di pagina 107 che ha lo scopo di attivare oralmente i verbi riflessivi al passato.

Obiettivi sezione F: diamo ulteriori possibilità per parlare di se stessi e introduciamo l'uso delle preposizioni *a* e *di* con l'indicazione dell'età e riprendiamo l'uso dell'imperfetto.

2.35 Pag. 107, F1 – Parla la mamma

Descrizione: la mamma di Giuliana parla con orgoglio della propria figlia che si è appena laureata.

Tempo: 15 minuti.

Procedimento: vedi **Presentazione – Strategie d'ascolto. Dialoghi lunghi.**

Soluzioni: *Ha 24 anni, A 5 anni, Ha 27 anni, A 16.*

2.35 Pag. 107, F2 – Mettiamo a fuoco

Tempo: 15 minuti.

Procedimento: vedi **Presentazione – Strategie d'ascolto. Dialoghi lunghi. Le tabelle.**

Pag. 107, F3 – Ora tocca a voi!

Tempo: 25 minuti.

Procedimento: attività orale a coppie come da consegna.

Pag. 107, Scambio di idee

Tempo: 30 minuti.

Procedimento: vedi **Presentazione – Scambio di idee.**

Obiettivi della sezione G: aiutare gli studenti a distinguere e a pronunciare le consonanti doppie.

Pag. 108, G1 – Come si chiama in italiano?

Tempo: 10 minuti.

Procedimento: fate svolgere l'attività come da consegna, a coppie, poi verificate oralmente in plenum, in modo che tutti abbiano sentito più volte i nomi delle cose rappresentate. Prima di passare all'attività G2, fate notare che alcune di queste parole hanno una pronuncia particolarmente "forte", "doppia" o "lunga" delle consonanti centrali: *tazza, gomma, stel-*

la, *palla*, mentre altre hanno una pronuncia debole delle consonanti: *luna, sedia, pera, matita*. La pronuncia delle consonanti semplici viene percepita meglio da molti studenti se si fa notare che la vocale che le precede risulta *"più lunga"*. A questo punto potete scrivere le parole alla lavagna e far notare la grafia.

🎧 2.36 Pag. 108, G2 – Le consonanti doppie

Tempo: 20 minuti.

Procedimento: procedete come da consegna e fate ascoltare la lista di parole almeno tre volte.

🎧 2.37 Pag. 108, G3 – Ora tocca a voi!

Tempo: 15 minuti.

Procedimento: procedete come da consegna.

Pag. 108, L'angolo degli inviti

Descrizione: 2 inviti: uno è per un matrimonio, l'altro per un negozio di abbigliamento *"per i più piccoli"*.

Tempo: 20 minuti.

Procedimento: invitate gli studenti a leggere gli inviti a coppie. Procedete come da consegna. Alla fine potete far creare agli stessi studenti degli inviti per occasioni particolari. Chi crea quello più originale verrà premiato.

Pag. 109, Italia Oggi – Università: nuove tendenze

Descrizione: l'università e le nuove lauree brevi.

Tempo: 30 minuti.

Procedimento: fate svolgere in plenum il compito della prima consegna, poi fate continuare a coppie la lettura del testo e lo svolgimento della seconda attività. Ritornate in plenum per la terza.

Attività supplementari

Unità 9 +1 Che cosa stanno facendo?

Quando: dopo il punto A4.

Obiettivo didattico: *stare* + gerundio.

Partecipanti: in plenum.

Tempo: circa 30 minuti.

Preparazione: create spazio in classe spostando i banchi e invitate uno studente a lasciare la classe.

Obiettivo del gioco: ogni studente deve indovinare cosa stanno facendo i compagni. Vince chi avrà ottenuto più punti.

Svolgimento: dite agli studenti che uno di loro dovrà uscire dalla classe per qualche minuto e che, al suo rientro, dovrà indovinare cosa stanno facendo gli altri. Fate scegliere chi deve uscire per primo, e poi fate fare agli altri studenti una qualsiasi attività in movimento, ma senza parlare. Quando tutti saranno pronti fate entrare lo studente e chiedetegli di dire cosa stanno facendo gli altri. Ad ogni azione indovinata assegnategli un punto. Date circa 3 minuti di tempo a ogni studente per indovinare. Quando tutti saranno usciti e avranno giocato, confrontate i punteggi e proclamate il vincitore.

Nota: è possibile che, in alcuni casi, gli studenti abbiano difficoltà a trovare la parola per esprimere l'azione mimata dagli studenti. Siate pronti ad aiutare gli studenti fornendo i vocaboli necessari alla lavagna.

Unità 9 +2 Tanti inviti

Quando: dopo il punto B2.

Obiettivo didattico: formulare inviti e accettare o rifiutare.

Partecipanti: 2 gruppi.

Tempo: circa 40 minuti.

Materiale: due copie di pagina 125.

Preparazione: dividete la classe in due gruppi e distribuite 1 copia di pagina 125 per gruppo.

Obiettivo del gioco: ogni gruppo deve completare gli inviti e darli a uno studente dell'altra squadra.

Svolgimento: dite agli studenti che devono completare gli inviti in base a situazioni che voi darete. Quando li avranno completati, dovranno darli agli studenti del secondo gruppo che risponderanno accettando o rifiutando l'invito. Fate un controllo alla fine dell'attività.

Situazioni: *andare a una festa, andare in discoteca, andare al ristorante, andare a studiare a casa di qualcuno, andare fuori per il fine settimana, andare in palestra*, ecc.

Nota: due schede sono bianche per permettere agli studenti di formulare completamente l'invito.

Unità 9 +3 Che giornata!

Quando: dopo il punto C3.

Obiettivo didattico: esercitazione sul passato prossimo e sull'uso dell'imperfetto.

Partecipanti: a coppie.

Tempo: circa 15 minuti.

Materiale: per ogni coppia una copia di pagina 126 tagliata in due.

Preparazione: a uno studente di ogni coppia la pagina di diario di Michela e all'altro quella di Alessandro.

Obiettivo del gioco: dire che cosa hanno fatto ieri Michela e Alessandro.

Svolgimento: dite agli studenti che dovranno porsi delle domande e rispondere ognuno secondo la pagina di diario che ha ricevuto. Dovranno utilizzare prima il passato prossimo e poi l'imperfetto per collegare le due frasi in un rapporto di contemporaneità (vedi esempio).

Esempio:
Studente A: *Che cosa ha fatto ieri Michela alle 8?*
Studente B: *Si è preparata. E Alessandro?*
Studente A: *Mentre Michela si preparava, Alessandro faceva colazione.*

Ampliamento: potete chiedere agli studenti di completare le pagine di diario con altre azioni di Michela e Alessandro nelle altre ore del giorno.

Unità 9 +4 Cercasi testimone

Quando: dopo il punto D5.

Obiettivo didattico: utilizzo degli aggettivi per descrivere le persone.

Partecipanti: in 2 gruppi, poi a coppie.

Tempo: circa 10 minuti.

Materiale: una copia di pagina 127.

Preparazione: dividete la classe in 2 gruppi e date agli studenti di un solo gruppo una copia di pagina 127.

Obiettivo del gioco: descrivere i personaggi dell'immagine.

Svolgimento: dite agli studenti che alcuni di loro sono dei poliziotti, mentre altri sono dei testimoni di una rapina in banca. Mettete i testimoni in un gruppo e i poliziotti in un altro. Distribuite ai testimoni una copia di pagina 127 e dite loro che hanno 5 minuti per memorizzare le immagini e i personaggi, dopodiché dovranno affidarsi solo alla memoria. Intanto dite ai poliziotti di preparare una lista di domande da fare ai testimoni per chiedere la descrizione dei personaggi presenti alla rapina. Dopo 5 minuti, formate delle coppie: un poliziotto e un testimone. Dite ai poliziotti di fare le domande, ognuno al suo testimone. Alla fine chiedete ai poliziotti di leggere le risposte ottenute ad alta voce e fate controllare se le descrizioni coincidono. In questa fase segnate eventuali errori per poi correggerli in plenum alla lavagna.

Nota: dovrete anticipare alcune parole specifiche per la situazione: *rapina, rapinatore*, ecc.

Variazione: invece di usare la fototcopia, potete dire agli studenti che i personaggi della rapina sono proprio loro e che quindi devono descriversi tutti senza fare nomi. Alla fine i poliziotti dovranno capire chi sono le persone della classe descritte.

1

Proposta:

Vieni a ....

....

....

Risposta:

....

....

....

2

Proposta:

Che ne dici di ....

....

....

Risposta:

....

....

....

3

Proposta:

Hai voglia di ....

....

....

Risposta:

....

....

....

4

Proposta:

Andiamo ....

....

....

Risposta:

....

....

....

5

Proposta:

Perché non ....

....

....

Risposta:

....

....

....

6

Proposta:

Ti va di ....

....

....

Risposta:

....

....

....

7

Proposta:

....

....

....

Risposta:

....

....

....

8

Proposta:

....

....

....

Risposta:

....

....

....

Il diario di Michela

8	*prepararsi*		**14**	*lavoro*
9			**15**	
10	*in ufficio*		**16**	
11			**17**	
12			**18**	*in palestra*
13	*pausa pranzo*		**19**	*appuntamento con Lucia*

Sera: 20 e 30 *cena al ristorante* / 22 *cinema* / 24 *a casa*

Il diario di Alessandro

8	*colazione*		**14**	*in biblioteca*
9			**15**	
10	*all'università*		**16**	
11			**17**	
12			**18**	*spesa*
13	*in mensa*		**19**	*aperitivo con Massimo*

Sera: 20 e 30 *a casa* / 22 *pub* / 24 *discoteca*

Unità 9 - Esercizi supplementari - Prima parte

1 *Cosa stanno facendo? Completate le frasi con il gerundio.*

1. Puoi spegnere la TV? Sto (telefonare) ....
2. Un momento, stiamo (finire) .... l'esercizio.
3. Chi è che sta (disturbare) .... ?
4. Non faccio niente di particolare. Sto (leggere) .... il giornale.
5. No, in questo momento non posso: sto (lavorare) ....
6. Quei ragazzi stanno (mettere) .... tutto in disordine.
7. Non sto (capire) .... niente.
8. Mi stai (vedere) .... ? Sono vicino alla biglietteria.
9. Arrivo subito. Sto (salire) .... le scale.
10. Cosa stai (dire) .... ? Non è vero!

2 *Completate i seguenti dialoghi.*

1. ● Che ne dici di bere un aperitivo?
   ○ ....
2. ● ....
   ○ Mi dispiace, ma ho già un impegno. Mi può richiamare per un altro appuntamento?
3. ● ....
   ○ Perché no?
4. ● Vuoi venire con me in piscina?
   ○ ....
5. ● Perché non andiamo in discoteca?
   ○ ....

3 *Completate il dialogo con i verbi adeguati all'imperfetto.*

● Come va con il tuo ragazzo?
○ Non molto bene. Non facciamo mai una cosa insieme.
● Per esempio?
○ Sabato io .... andare a ballare e lui .... guardare la Formula Uno alla TV.
● Per una volta non è grave.
○ Allora senti questa. La settimana scorsa, mentre io .... il mio compleanno con gli amici,
   lui .... a calcio.
● Sì, ma fa l'allenatore!
○ C'è sempre una scusa. E così ieri, mentre lui .... in montagna per fare trekking, io e
   Alessandro .... in riva al fiume per un bel picnic romantico!

4 *Collegate le frasi.*

1. Com'è bella Marcella! È stata al mare:	a. Siete troppo disordinati
2. Tua figlia forse deve fare un po' di sport,	b. è sempre allegra e sorridente!
3. Che bel vestito hai...	c. è abbronzata!
4. Mi piace il carattere di Tiziana:	d. è un po' grassottella.
5. Ragazzi, che confusione in camera vostra!	e. sei elegantissima!

E tu? Come puoi descrivere il tuo fisico e la tua personalità?

....

....

Caffè Italia 1 Guida per l'insegnante © ELI 2005

Unità 9 - Esercizi supplementari - Seconda parte

5 *Formate delle frasi.*

1. Io e mio fratello	vi siete sposati	alla festa.
2. Carlo e Marta	ci siamo arrabbiati	molto tardi.
3. Io	si sono incontrati	in filosofia.
4. La sorella di Carlo	si è svegliato	in chiesa?
5. Luca	mi sono riposata	con il vigile.
6. Voi	si è laureata	tutto il fine settimana.

6 *Completate le frasi con i verbi al passato prossimo.*
sposarsi – farsi – svegliarsi – riposarsi – divertirsi – alzarsi – arrabbiarsi – lavarsi

1. Questa mattina Carlo .... con un mal di testa da morire.

2. Marta .... molto ieri sera alla festa.

3. Sono stata in vacanza in Sardegna e .... molto. Ho dormito dieci ore a notte.

4. (io) .... con un abito bianco lunghissimo.

5. Carlo .... con sua sorella perché sta sempre al telefono con le amiche.

6. (voi) .... la doccia con l'acqua fredda?

7. (noi) .... i capelli con uno shampoo delicato.

8. Luca .... dal letto solo per telefonare a Carlo.

7 *Completate le risposte.*

1. L'ultimo film di Salvatores? Sì, ... ho vist.......... .

2. La frutta? No, non .... ho comprat.......... .

3. La TV? Sì, ... ho spent.......... .

4. Gli spaghetti? Sì, ... ho pres.......... io.

5. I soldi? Sì, ... ho mess.......... in banca.

6. La voce di Pavarotti? Sì, ... ho ascoltat.......... molte volte.

7. Le ultime notizie? No, non .... ho sentit.......... .

8. Le chiavi? No, ...ho lasciat.......... in macchina!

9. Il tuo ragazzo? No, non .... ho incontrat.......... .

10. La spesa? .... ho fatt.......... ieri.

8 *Chi era? Completate con le preposizioni e dite chi era questo famoso regista italiano.*

Era un uomo .... circa 70 anni. La sua carriera è conosciuta in tutto il mondo ed è stato un grande maestro del cinema. .... vent'anni ha iniziato a fare l'aiutante in film famosi, ma è diventato un grande regista .... 40 anni circa, nel 1962, quando ha vinto l'Oscar con il film *La strada*. In questo film la protagonista era sua moglie, Giulietta Masina, una donna .... circa trent'anni, con un'espressione meravigliata e dolce.

9 *Qual è la festa più divertente a cui avete partecipato? Qual era l'occasione? Chi c'era? Descrivete usando almeno 50 parole.*

....

....

....

....

Obiettivi sezione A: obiettivo essenzialmente lessicale, gli studenti vengono "fatti entrare" in vari negozi e sentono i nomi dei prodotti e i prezzi.

Pag. 110, A1 – Non c'entra niente!

Descrizione: 4 immagini di quattro negozi: una cartoleria, una profumeria, un ottico e un negozio di elettrodomestici. In ogni vetrina si vedono chiaramente alcuni prodotti esposti, di cui uno è un "intruso". Per ogni oggetto c'è un cartellino con il prezzo.

Tempo: 10 minuti.

Procedimento: Vedi **Presentazione – Come usare l'immagine**

🎧 2.38 **Pag. 110, A2 – Quanto costa?**

Descrizione: voci che descrivono i prodotti e danno prezzi dei prodotti in vetrina.

Tempo: 10 minuti.

Procedimento: attività di ascolto. Procedete come da consegna: gli studenti avranno l'occasione di sentire il nome di tutti i prodotti raffigurati e potranno facilmente individuarli anche collegandoli ai prezzi, che già sanno capire.

Pag. 110, A3 – Dove si compra?

Descrizione: vedi A2.

Tempo: 10 minuti.

Procedimento: attività orale. Dividete gli studenti in coppie e procedete come da consegna.

Obiettivi sezione B: rinforzo di quanto appreso in A e ampliamento lessicale; introduciamo le espressioni riguardanti le quantità e le misure e la differenza fra *in* e *da* con nomi di negozi e negozianti.

🎧 2.39 **Pag. 111, B1 – La lista della spesa**

Descrizione: la signora Maria deve andare a fare la spesa e prepara una lista.

Tempo: 10 minuti.

Procedimento: vedi **Presentazione – Come usare l'immagine**.

🎧 2.39 **Pag. 111, B2 – Dove va la signora Maria?**

Descrizione: vedi B1.

Tempo: 15 minuti.

Procedimento: attività di ascolto e completamento. Vedi **Presentazione – Strategie d'ascolto. Dialoghi lunghi.**

Pag. 111, B3 – Mettiamo a fuoco

Tempo: 10 minuti.

Procedimento: attività di completamento. Vedi **Presentazione – Le tabelle.**

Pag. 112, B4 – Quantità e misure

Tempo: 20 minuti.

Procedimento: dividete gli studenti in coppie e procedete come da consegna. Per ampliare l'attività potete portare volantini autentici di negozi e supermercati, facilmente reperibili se operate in Italia. Nel caso operaste all'estero potrete comunque procurarvi pubblicità di negozi locali, ritagliatene le immagini dei prodotti e portateli in classe. Poi fate associare ai prodotti le indicazioni di quantità e misure.

Vedi **Unità 10** **+1** **Che confusione!**

Obiettivi sezione C: ampliamento lessicale relativo alla spesa. Quantità indefinite con la preposizione *di* + articolo e il pronome *ne* partitivo.

🎧 2.40 **Pag. 112, C1 – Dal fruttivendolo**

Descrizione: la signora Maria fa la spesa dal fruttivendolo.

Tempo: 15 minuti.

Procedimento: attività di ascolto. Vedi **Presentazione – Strategie d'ascolto. Dialoghi lunghi.**

Soluzioni: 1. sì, **2.** no (2kg), **3.** no (1kg), **4.** sì; *La signora Maria compra anche un melone.*

🎧 2.40 **Pag. 112, C2 – Quanti ne vuole?**

Descrizione: vedi C1.

Tempo: 20 minuti.

Procedimento: attività di ascolto e completamento. Vedi **Presentazione – Strategie d'ascolto. Dialoghi lunghi.**

Soluzioni: *ne, quattro, ne, due chili, ne, un chilo, lo, tutto.*

🎧 **2.40** **Pag. 113, C3 – Mettiamo a fuoco**

Descrizione: Vedi C1.

Tempo: 20 minuti.

Procedimento: attività di ascolto e completamento. Procedete con il dialogo e invitate gli studenti a completare le tabelle di *grammatica attiva*. Come esercizio di rinforzo fate completare il dialogo *Al negozio di alimentari*, sempre a coppie. Verificate che per gli studenti sia chiaro l'uso del *ne* partitivo. Aiutandovi con i dialoghi presenti nell'attività sottolineate il fatto che il pronome *ne* è generalmente seguito da un numero o da aggettivi come *molto, poco, abbastanza*, mentre l'aggettivo *tutto* vuole invece i pronomi diretti.

Pag. 113, C4 – Ora tocca a voi!

Tempo: 20 minuti.

Procedimento: attività orale. Dividete gli studenti in coppie e procedete come da consegna.

Vedi **Unità 10** **+2** **Quanti ne ho?**

Obiettivi sezione D: in questa sezione ci concentriamo soprattutto sull'espressione orale, cerchiamo di stimolare gli studenti a parlare delle loro abitudini di lettura.

🎧 **2.41** **Pag. 114, D1 – Orientarsi in libreria**

Descrizione: disegno di un pannello di orientamento di una libreria.

Tempo: 20 minuti.

Procedimento: attività di ascolto e completamento. Vedi **Presentazione – Strategie d'ascolto. Dialoghi lunghi**

Soluzioni: **1.** *attualità e politica/saggistica*, **2.** *"Il nome della rosa" di Umberto Eco/tascabili*, **3.** *cucina, casa, giardinaggio/tempo libero*, **4.** *scultura/arte, "Cent'anni di solitudine" di G. Márquez/narrativa straniera.*

Pag. 114, D2 – Dove si trova?

Tempo: 15 minuti.

Procedimento: attività orale. Procedete come da consegna.

Pag. 114, D3 – Ora tocca a voi!

Tempo: 20 minuti.

Procedimento: attività orale. Procedete come da consegna, dicendo agli studenti che si possono aiutare con le domande e le espressioni nella tabella.

Obiettivi sezione E: come nella sezione precedente lasciamo molto spazio alla lingua parlata spingendo gli studenti a esprimere stati d'animo e a raccontare eventi al passato.

🎧 **2.42** **Pag. 115, E1 – Ho bisogno di un consiglio**

Descrizione: Carlo chiede a Maria un consiglio per un libro da regalare a Marta.

Tempo: 15 minuti.

Procedimento: attività di ascolto e completamento. Vedi **Presentazione – Strategie d'ascolto. Dialoghi lunghi.**

Soluzioni: **1.** *Giuliana/Marta*, **2.** *Non è credibile che Tabucchi sia di difficile lettura per una persona di madrelingua italiana*, **3.** *I Racconti di Italo Calvino.*

🎧 **2.42** **Pag. 115, E2 – Sorpresa o imbarazzo?**

Descrizione: vedi E1.

Tempo: 20 minuti.

Procedimento: attività di ascolto. Vedi **Presentazione – Strategie d'ascolto. Dialoghi lunghi.**

Pag. 115, E3 – Qual è la vostra opinione?

Tempo: 15 minuti.

Procedimento: attività orale da far fare prima a coppie e poi, se la classe è disponibile, si può fare una discussione in plenum. Procedete come da consegna.

Pag. 115, E4 – Raccontate

Tempo: 20 minuti.

Procedimento: attività orale a coppie. Ogni studente dovrà poi raccontare a tutta la classe la bugia del compagno.

🎧 2.43 **Pag. 116, Gioco – Indovina: che libro è?**

Descrizione: Maria descrive la trama di Pinocchio e cita anche l'autore Carlo Collodi.

Tempo: 30 minuti (due parti).

Procedimento: prima parte: attività di ascolto e indovinello. Molti studenti non dovrebbero avere difficoltà a indovinare, perché Pinocchio è molto famoso anche all'estero. Se il tempo lo permette potete fare ascoltare nuovamente il racconto e far individuare parole nuove che gli studenti desiderano imparare. Seconda parte: preparazione con appunti scritti a coppie e poi orale, in plenum. Chi indovina il libro descritto vince un punto.

Obiettivi sezione F: primo contatto con la lingua degli sms e con il mondo dei cellulari. Utilizzo per la sistematizzazione degli avverbi di tempo *già/non ancora,* che gli studenti certamente hanno già incontrato più volte in contesto.

Pag. 116, F1 – SMS

Descrizione: Carlo manda un sms pieno di abbreviazioni a Marta.

Tempo: 15 minuti.

Procedimento: chiedete agli studenti se hanno un cellulare e se normalmente mandano sms. Esiste un sistema di abbreviazioni nella loro lingua? Invitateli a fare alcuni esempi. Fate poi svolgere l'attività come da consegna. Alla fine potete formare delle coppie con il compito di scrivere alcuni sms su dei foglietti e "mandarli" agli altri studenti, a loro scelta: voi farete da postino. Decifrate ogni sms in plenum e premiate insieme il più simpatico.

Pag. 116, F2 – Problemi con il cellulare

Tempo: 15 minuti.

Procedimento: procedete come da consegna. Alla fine chiedete agli studenti quali sono i loro stati d'animo e cosa fanno quando si trovano nella situazione di Carlo e Marta.

Pag. 117, F3 – Mettiamo a fuoco

Tempo: 15 minuti.

Procedimento: leggete ancora insieme a tutta la classe i due fumetti dell'attività F2 e fate osservare gli avverbi di tempo *già* e *non ancora*. Se è necessario date voi altri esempi. Quando vi sembra che gli studenti abbiano acquisito dimestichezza con le strutture fate completare la tabella di *grammatica attiva* e fate fare l'esercizio di rinforzo come da consegna.

Vedi **Unità 10** **+3** **Hai già fatto o non ancora?**

Vedi **Unità 10** **+4** **Spese pazze!**

🎧 2.44 **Pag. 117, Scambio di idee**

Tempo: 40 minuti.

Procedimento: vedi **Presentazione – Scambio di idee**. Fate ascoltare il testo dall'audio una volta, dicendo agli studenti di fare attenzione alla distribuzione delle pause nella lettura. Poi fate lavorare a coppie e fate leggere il testo senza l'audio, invitando a non consultare subito il dizionario, ma a procedere secondo le strategie di avvio alla lettura già introdotte nell'unità 7 e a rivolgersi a voi per confermare le ipotesi sulle parole nuove e non chiare. Infine fate fare il sondaggio suggerito dalla consegna: gli studenti dovranno muoversi molto, quindi preparate la classe in modo adeguato. La sintesi scritta è adatta a un'attività di scrittura individuale, anche come compito a casa.

Obiettivi sezione G: l'attenzione si concentra di nuovo sull'accento di parola e per la prima volta sulle pause di lettura, per avviare a poco a poco alla pronuncia giusta nella lettura di testi in italiano.

🎧 2.45 **Pag. 118, G1 – Leggere ad alta voce**

Descrizione: il testo riassume i vari episodi che hanno visto protagonisti i "personaggi" del manuale, questo facilita la prima esercitazione della lettura ad alta voce.

Tempo: 20 minuti.

Procedimento: fate lavorare a coppie e procedere come da consegna.

🎧 2.46 **Pag. 118, L'angolo della pubblicità**

Descrizione: tre spot pubblicitari radiofonici (materiale costruito in analogia a quello autentico) e quattro immagini, di cui una non corrisponde a nessuno degli annunci.

Tempo: 25 minuti.

Procedimento: vedi **Presentazione – Strategie d'ascolto. Quando si devono associare immagini e mini dialoghi.** Fate procedere come da consegna. Per ampliare l'attività potete proporre poi un prodotto divertente o un po' "imbarazzante" come, ad esempio, la carta igienica e gli studenti dovranno inventargli un nome e creare una pubblicità. Date un premio al lavoro più divertente.

Soluzione: **1**: *Il prodotto per l'igiene personale*, **2**: *Un prodotto alimentare pronto*, **3**: *la catena di supermercati*; *l'immagine senza annuncio è quella del telefono cellulare.*

Pag. 119, Italia Oggi – Un libro, un film

Descrizione: le trame di tre romanzi di grande successo a cui si sono ispirati tre registi per realizzare i loro film, alcune informazioni per ognuno dei tre film.

Tempo: 20 minuti.

Procedimento: fate lavorare a coppie e invitate gli studenti a cercare di fare i collegamenti fra libro e film sulla base di tutti gli indizi disponibili (anche le immagini), senza voler prima comprendere tutte le parole dei testi. Per stimolare a questa lettura veloce mirata alla ricerca di informazioni specifiche, potete organizzare l'attività in forma di competizione: vince la coppia più veloce nel fare gli abbinamenti. Solo se il gruppo è particolarmente interessato, fate fare anche una lettura più approfondita con la ricerca dei vocaboli nuovi.

Ampliamento (adatto ai gruppi di studenti più interessati alla letteratura): preparate altre trame, semplificate, di romanzi e fatele abbinare ai loro titoli. Alla fine invitate gli studenti a disegnare le copertine dei libri.

Esempio:

I promessi sposi di Alessandro Manzoni (Milano 1785 – 1873)
È la storia di Renzo e Lucia che hanno vissuto nella Lombardia del 1600 fra peste, rivoluzioni e invasioni. Si amavano, ma un uomo ricco e potente ha ostacolato il loro amore.

Il nome della Rosa (1980) di Umberto Eco (Alessandria 1932)
È un romanzo ambientato nel Medioevo. Un vecchio monaco, accompagnato da un giovane studente, mentre passava un periodo in un monastero, ha assistito a fatti misteriosi. Così ha cominciato a indagare sugli omicidi di alcuni frati.

La Divina Commedia di Dante Alighieri (Firenze 1265 – Ravenna 1321)
È l'opera più complessa e bella della letteratura italiana. Un uomo, mentre passa un periodo di confusione nella sua vita, sogna di viaggiare attraverso l'inferno, il purgatorio e il paradiso. Lo accompagnano prima il suo maestro ideale, Virgilio, poi la donna amata, Beatrice.

Attività supplementari

Unità 10 **+1** **Che confusione!**

Quando: dopo il punto B4.

Obiettivo didattico: esercitazione sui prodotti e quantità.

Partecipanti: in plenum.

Tempo: circa 10 minuti.

Materiale: una copia di pagina 136 per ogni studente.

Preparazione: date a ogni studente una copia di pagina 136.

Obiettivo del gioco: ogni studente deve rimettere in ordine le quantità dei prodotti nel minor tempo possibile. Vince il più veloce.

Svolgimento: dite agli studenti che la commessa ha fatto un po' di confusione coi prodotti e le quantità. Fate loro completare lo schema con le opportune modifiche.

Esempio: *un chilo di latte* → *un litro di latte.*

Soluzioni: *un litro di latte, un litro di olio, un etto di prosciutto, un pezzo di pane, un litro di coca cola, una confezione di cioccolatini, un etto di formaggio, un litro di acqua, due confezioni di pasta, una scatoletta di tonno.*

Unità 10 **+2** **Quanti ne ho?**

Quando: dopo il punto C4.

Obiettivo didattico: esercitazione del pronome partitivo *ne*.

Partecipanti: in plenum.

Tempo: circa 30 minuti.

Materiale: una copia di pagina 137 per il numero totale di studenti meno uno, da ritagliare.

Preparazione: invitate uno studente a lasciare la classe, mescolate le carte ritagliate e distribuitene 12 a ogni studente che resta in classe e poi fate scegliere un oggetto.

Obiettivo del gioco: lo studente che è fuori deve indovinare l'oggetto scelto dagli altri; vince, alla fine, chi ha indovinato l'oggetto ponendo meno domande.

Svolgimento: spiegate il gioco utilizzando le carte e dite agli studenti di scegliere un oggetto (le possibilità sono: *penna, camicia, libro, cellulare, zaino, orologio*). Fate entrare lo studente e ditegli di porre questa domanda a ogni studente: *quanti ne hai?* Ogni studente risponde in base al numero degli oggetti che possiede. Quando tutti gli studenti avranno provato, verificate chi ha utilizzato meno domande per vincere. Se ci sono ex equo, potete far provare solo loro fino ad avere un unico vincitore.

Esempio: Studente 1: *Quanti ne hai?*
Studente 2 (con 8 cellulari): *Ne ho 8!*
Studente 1: *È il cellulare!*

Unità 10 **+3** ▶ **Hai già fatto o non ancora?**

Quando: dopo il punto F3.

Obiettivo didattico: esercitazione sugli avverbi *già* e *non… ancora.*

Partecipanti: a coppie, poi in plenum.

Tempo: circa 30 minuti.

Materiale: una copia di pagina 138 ogni 12 studenti, da ritagliare per ottenere 12 carte.

Preparazione: prima dividete gli studenti in gruppi di 12, mescolate le 12 carte ritagliate da una copia di pagina 138 e datene una a ogni studente di ogni gruppo, poi formate delle coppie in modo casuale. Se il numero degli studenti non è multiplo di 12, scartate qualche carta da una delle copie di pagina 138.

Obiettivo del gioco: gli studenti devono trovare quante cose hanno già fatto entrambi. Vince la coppia che ha il maggior numero di cose già fatte in comune.

Svolgimento: dite agli studenti che devono controllare le loro carte senza mostrarsele e farsi delle domande per sapere se hanno già fatto o no le cose scritte: il segno ✓ indica le cose già fatte. Alla fine chiedete a ogni coppia quante cose hanno fatto entrambi e fate delle domande di verifica.

Esempio:
Studente 1: *Hai già lavato i piatti?*
Studente 2: *Sì, li ho già lavati, e tu?*
Studente 1: *No, io non li ho ancora lavati.*

Nota: è possibile fare esercitare facendo usare anche i pronomi, come nell'esempio, o altrimenti tralasciare questa parte e fare ripetere l'oggetto del verbo.

Unità 10 **+4** ▶ **Spese pazze!**

Quando: dopo il punto F3.

Obiettivo didattico: gioco finale di ripasso generale.

Partecipanti: a coppie e poi a gruppi di 4.

Tempo: circa 40 minuti.

Materiale: per ogni 4 studenti una copia del tabellone in formato A3 di pagina 139 e un set di carte di acquisto di pagina 140 mescolate e riposte capovolte a fianco del tabellone (non quelle in neretto che servono come carte di inizio). Un dado per ogni tabellone. Una pedina per ogni gruppo.

Preparazione: dividete la classe in coppie e formate dei gruppi di 4. A ogni gruppo date un tabellone. Date a ogni coppia una carta di acquisto con bordo in neretto. Fate posizionare per ogni coppia la propria pedina sulla casella ingresso.

Obiettivo del gioco: ogni coppia deve giungere al ristorante, dopo aver fatto tutte le spese indicate dalle carte. Vince la coppia che per prima arriva al ristorante.

Svolgimento: spiegate agli studenti che devono andare in un ristorante che si trova al quinto piano di un grande magazzino, e che per arrivarci devono prima fare delle spese. Spiegate com'è composto il tabellone (cfr. nota) e i vari spostamenti. Vince la coppia che per prima arriva al ristorante senza carte di acquisto. Dite che l'ascensore sulla sinistra dà la possibilità di tirare ancora il dado, mentre le scale rallentano il percorso facendoli stare fermi un turno. Ricordate che per ogni oggetto da acquistare devono andare alla **i** del piano dove possono comprare l'oggetto e la coppia deve creare un dialogo cliente - commessa per l'acquisto dell'oggetto. Fatto questo devono andare alla cassa per pagare e creare un ulteriore dialogo. Gli spostamenti sono liberi, destra o sinistra, ma se si va in una direzione bisogna proseguire e aspettare il turno successivo per tornare indietro.

Nota: Il grande magazzino ha questi elementi:
Piano terra: supermercato;
Primo piano: negozio di elettrodomestici;
Secondo piano: gioielleria;
Terzo piano: libreria;
Quarto piano: negozio di abbigliamento;
Quinto piano: ristorante.
Per ogni piano ci saranno:

i di informazioni: qui bisogna recarsi per comprare l'oggetto indicato dalla carta. Se si raggiunge questa casella, ma non si deve comprare nulla, non succede niente.

V: se si capita su questa casella si devono elencare tre verbi connessi per significato al negozio dove ci si trova;

C: bisogna pescare una carta d'acquisto e acquistare l'oggetto. Se le carte finiscono, nulla accade.

N: si devono dire tre cose che si possono comprare in quel negozio.

Cassa (immagine): qui ci si deve recare per pagare l'oggetto preso, dopo essere stati sulla **i** per il dialogo di acquisto. Se si capita su questa casella ma non si deve comprare, nulla succede.

un chilo di latte	un etto di olio
una scatola di prosciutto	una confezione di pane
mezzo chilo di coca cola	un pezzo di cioccolatini
una scatoletta di formaggio	un chilo e mezzo di acqua
due litri di pasta	due etti di tonno

1. ....

2. ....

3. ....

4. ....

5. ....

6. ....

7. ....

8. ....

9. ....

10. ....

Card 1
- pagare l'affitto ✓
- spedire la cartolina
- leggere il giornale
- giocare a tennis ✓
- lavare i piatti ✓
- fare i compiti
- stare a Palermo ✓
- telefonare a Luca
- comprare il latte
- fare la spesa ✓
- cenare
- andare al cinema ✓

Card 2
- pagare l'affitto ✓
- spedire la cartolina ✓
- leggere il giornale ✓
- giocare a tennis
- lavare i piatti ✓
- fare i compiti ✓
- stare a Palermo
- telefonare a Luca
- comprare il latte ✓
- fare la spesa ✓
- cenare ✓
- andare al cinema

Card 3
- pagare l'affitto
- spedire la cartolina
- leggere il giornale
- giocare a tennis ✓
- lavare i piatti ✓
- fare i compiti
- stare a Palermo
- telefonare a Luca
- comprare il latte ✓
- fare la spesa ✓
- cenare ✓
- andare al cinema ✓

Card 4
- pagare l'affitto ✓
- spedire la cartolina
- leggere il giornale
- giocare a tennis
- lavare i piatti
- fare i compiti
- stare a Palermo ✓
- telefonare a Luca ✓
- comprare il latte
- fare la spesa
- cenare
- andare al cinema

Card 5
- pagare l'affitto
- spedire la cartolina
- leggere il giornale
- giocare a tennis
- lavare i piatti
- fare i compiti ✓
- stare a Palermo ✓
- telefonare a Luca ✓
- comprare il latte ✓
- fare la spesa ✓
- cenare ✓
- andare al cinema ✓

Card 6
- pagare l'affitto ✓
- spedire la cartolina ✓
- leggere il giornale ✓
- giocare a tennis ✓
- lavare i piatti ✓
- fare i compiti
- stare a Palermo
- telefonare a Luca ✓
- comprare il latte
- fare la spesa
- cenare
- andare al cinema ✓

Card 7
- pagare l'affitto
- spedire la cartolina ✓
- leggere il giornale ✓
- giocare a tennis
- lavare i piatti ✓
- fare i compiti
- stare a Palermo
- telefonare a Luca
- comprare il latte ✓
- fare la spesa
- cenare
- andare al cinema

Card 8
- pagare l'affitto
- spedire la cartolina ✓
- leggere il giornale ✓
- giocare a tennis
- lavare i piatti
- fare i compiti ✓
- stare a Palermo ✓
- telefonare a Luca
- comprare il latte
- fare la spesa ✓
- cenare ✓
- andare al cinema

Card 9
- pagare l'affitto
- spedire la cartolina
- leggere il giornale
- giocare a tennis ✓
- lavare i piatti
- fare i compiti
- stare a Palermo ✓
- telefonare a Luca ✓
- comprare il latte ✓
- fare la spesa
- cenare
- andare al cinema ✓

Card 10
- pagare l'affitto ✓
- spedire la cartolina
- leggere il giornale ✓
- giocare a tennis ✓
- lavare i piatti
- fare i compiti
- stare a Palermo
- telefonare a Luca
- comprare il latte
- fare la spesa ✓
- cenare ✓
- andare al cinema ✓

Card 11
- pagare l'affitto
- spedire la cartolina
- leggere il giornale
- giocare a tennis ✓
- lavare i piatti ✓
- fare i compiti ✓
- stare a Palermo ✓
- telefonare a Luca ✓
- comprare il latte ✓
- fare la spesa
- cenare
- andare al cinema

Card 12
- pagare l'affitto
- spedire la cartolina ✓
- leggere il giornale
- giocare a tennis ✓
- lavare i piatti
- fare i compiti ✓
- stare a Palermo
- telefonare a Luca ✓
- comprare il latte
- fare la spesa ✓
- cenare
- andare al cinema ✓

Fotocopiabile

Caffè**Italia** 1 Guida per l'insegnante © ELI 2005

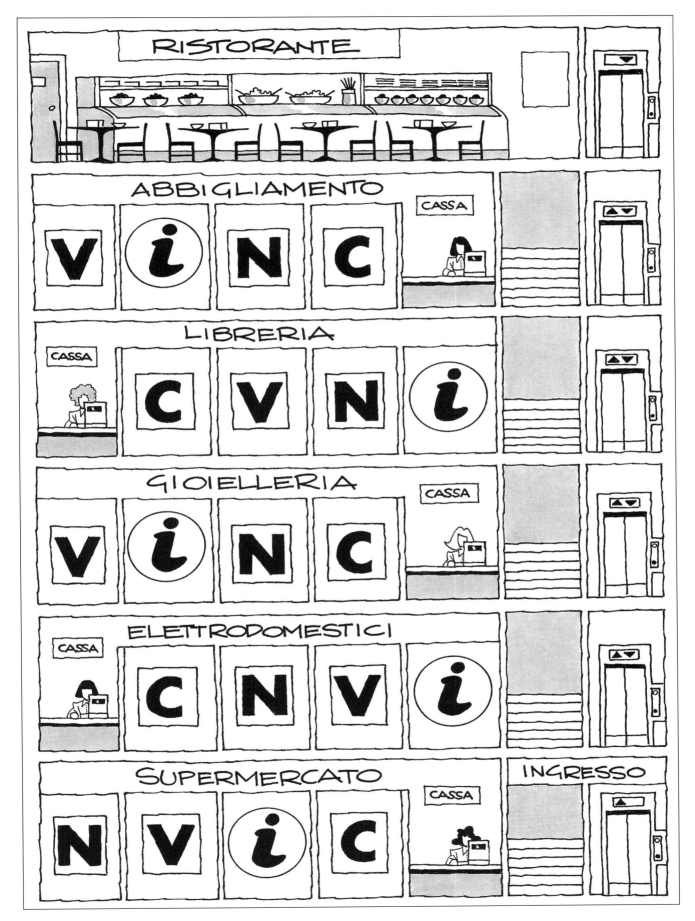

camicia	mappa	collana d'argento	televisore	1 kg di mele
giacca	libro giallo	anello d'oro	videoregistratore	2 bistecche
maglietta	romanzo	bracciale d'oro	lettore cd	1 litro di latte
pantaloni	dizionario	orecchini	radio	6 uova

bracciale d'argento	walk-man	cappello	grammatica di italiano

Unità 10 - Esercizi supplementari - Prima parte

1 *Dove? Completate le frasi con i nomi dei negozi.*

1. Maria ha comprato il pane. È andata ....
2. Luisa vuole comprare dei francobolli. Ora va ....
3. Alessandro è tornato a casa con tre pizze calde. È andato ....
4. Gli occhiali sono rotti. Vado .... un .... di ....
5. La carne è finita. Puoi andare .... ?
6. Cosa regalo a Giulio? Gli piacciono i libri, vado ....
7. Se esci, puoi comprare il giornale .... ?
8. È il compleanno di Anna, compriamo la torta ....
9. Vado .... un .... di .... a comprarmi una maglietta di cotone.
10. Prima di andare al mare, compriamo una buona crema solare ....
11. Che mal di testa! Puoi andare, per favore, ... a comprare un'aspirina?
12. Ho preso queste scarpe .... un .... di .... in centro.

2 *Completate la lista della spesa con le indicazioni di quantità.*

Un .... d'acqua
Un .... di pane
Due .... di patate
Due .... di prosciutto
Mezzo .... di carote
Una .... di biscotti

3 *Completate i dialoghi con i pronomi* **lo/la/li/le** *o con il pronome* **ne**.

● Che belle arance!
○ Se .... prende tre chili c'è l'offerta speciale a 4 Euro.
● Va bene.
● Vorrei un po' d'uva.
○ .... vuole bianca o nera?
● Mi dà quel pezzo di pane francese?
○ .... taglio?
● Se lo taglia in due va bene.
● Ha del prosciutto crudo non molto salato?
○ Certo, quanto .... vuole?
○ C'è anche l'offerta speciale dei biscotti. Tre confezioni 7 Euro.
● No, grazie .... prendo solo una.
● Mi dà un litro di latte?
○ .... vuole intero o scremato?

4 *Completate con* **del/della/dell'/dei/delle/degli**.

1. Vado a comprare (un po' di) .... pane.
2. Metti (un po' di) .... zucchero nel tè?
3. Vuoi (un po' di) .... fragole?
4. Ieri ho mangiato (un po' di) .... spaghetti alla carbonara.
5. Durante le vacanze ho visto (un po' di) .... vecchi film.
6. Quando sono un po' stanco, bevo (un po' di) .... caffè.
7. Hai comprato (un po' di) .... frutta?

Unità 10 - Esercizi supplementari - Seconda parte

5 *Quale tipo di libro sta cercando? Individuate il settore dove si trova il libro.*

1. Mi scusi, vorrei un bel romanzo. ....
2. Sto cercando una guida di Siena. ....
3. Avete un manuale per usare il programma Access? ....
4. Cerco un libro per imparare a decorare la stoffa. ....
5. Dove sono i libri di Agatha Christie? ....
6. Avete un libro non troppo dettagliato sulla cucina italiana? ....
7. Cerco il libro di Bambi con i disegni di Walt Disney. ....
8. Sto cercando *La repubblica* di Platone. ....
9. Dove trovo i libri di barzellette? ....

6 *Qual è una bugia e quale no? Trovate le bugie e correggete le frasi false.*

1. Palermo è una città del Nord Italia. ....
2. Sofia Loren non è più giovanissima. ....
3. Il telefono l'ha inventato un italiano. ....
4. Il baseball è lo sport più popolare in Italia. ....
5. La Ferrari non è una macchina per tutti. ....
6. La pizza Margherita si chiama così, perché
    ha il nome di una donna importante, una regina. ....
7. Roma è sempre stata la capitale d'Italia. ....
8. Gli spaghetti italiani hanno imitato gli spaghetti cinesi. ....
9. Michelangelo è morto molto giovane. ....
10. La faccia di Dante Alighieri è sulle monete da 1 Euro. ....

7 **Già** *o* **ancora?** *Completate le frasi.*

Esempio: *Non so chi è Luisa. .... conosciuta.*
Non so chi è Luisa. Non l'ho ancora conosciuta.

1. Vengo volentieri con te al ristorante. .... mangiato.
2. Mi dispiace, ma non vengo con te al cinema. .... visto questo film.
3. Non vi dico chi è lei. Voi .... conosciuto Federica.
4. Perché non chiamano? Sono già le nove e Carlo e Chiara .... telefonato.
5. È solo settembre e tu .... comprato il cappotto?
6. Abitiamo sempre in via Mazzini, ... cambiato casa.
7. Non dobbiamo sposarci, ci .... sposati il mese scorso.
8. Devi parlare chiaro, io .... capito cosa vuoi fare.
9. .... bevuto il caffè, ma ne bevo volentieri un altro.
10. Francesca era stanca ed .... andata a dormire.

8 *Completate con* **CI** *o* **NE** *come nell'esempio.*

Esempio: *Hai tu tutte le cartoline? No, ... solo quattro.*
No, ne ho solo quattro.

1. Tua sorella va dal medico? Sì, ... oggi.
2. Stai leggendo tu il giornale? Sì, ma .... solo due pagine, quelle della cultura. Puoi prendere il resto.
3. Dove sono le fotografie di Capri? Non lo so, io .... solo cinque.
4. Vai al cinema stasera? Sì, ... con Marta.
5. Vuoi del Limoncello? Sì, ... un po'.

Premessa

Tutti gli esercizi di pronuncia nel libro sono stati proposti per attivare il meccanismo di *riconoscimento del suono* passando dalla forma orale a quella scritta e viceversa. In questo capitolo proponiamo ulteriori attivazioni ed esercizi da sviluppare in classe.

Le esercitazioni di orientamento sulla pronuncia sono certamente molto utili ma è bene cercare di alleggerire questi momenti rendendoli anche divertenti per evitare di provocare un'eccessiva insicurezza negli studenti più timidi o con maggiori difficoltà di articolazione dovute all'assenza completa dei suoni nella loro lingua madre. Le attività di pronuncia sono state concepite inoltre in modo tale che rappresentino anche un momento di revisione e approfondimento lessicale di temi già trattati nel manuale.

Nell'ambito di un corso di lingua rivolto a un pubblico molto vasto e non necessariamente specializzato in linguistica non si è ritenuto opportuno approfondire il discorso sull'articolazione fisica dei suoni. Resta affidato agli insegnanti il compito di mostrare la posizione e i movimenti degli organi fonatori in modo che gli studenti possano riuscire a imitare e riprodurre al meglio l'articolazione fisica dei suoni.

Si consideri comunque che ogni abilità di produzione di un suono, laddove questo non esista nella lingua madre, come ad es. la pronuncia della -R- /r/ per gran parte degli asiatici o la -QU- /kw/ per anglofoni o germanofoni, richiede un piccolo esercizio giornaliero di almeno una ventina di giorni per diventare minimamente automatica e naturale: rassicurate quindi gli studenti spiegando loro che non devono aspettarsi un successo immediato nell'articolazione di suoni mai attivati prima, soprattutto se si tratta di adulti.

La maggior parte dei suoni in italiano viene articolata nella parte anteriore del cavo orale e la lingua italiana richiede una certa ginnastica facciale per la corretta articolazione delle vocali. Va tenuto presente in generale che molti problemi di pronuncia dell'italiano si risolvono con esercizi sull'articolazione delle vocali, anche quando gli studenti ritengono piuttosto di avere difficoltà con la pronuncia delle consonanti.

Le lettere -C- e -G-: esercizi di lettura e scrittura

Obiettivo: imparare a pronunciare e a scrivere i grafemi con le lettere -C- e -G-.

Tempo: 15 minuti.

Descrizione: preparate alcune parole con tutte le possibili combinazioni delle lettere -C- e -G-. Poi scrivete ogni parola in un bigliettino. Dividete gli studenti in gruppi di tre o quattro persone e distribuite loro i bigliettini. Ogni gruppo deve inserire la parola di ogni bigliettino nella categoria giusta della tabella che avrete preparato su un foglio di formato A4 seguendo il modello qui sotto.

Il pescaparole: a seguire, disponete gli stessi bigliettini in ordine sparso sul tavolo e ogni gruppo deve cercare di pescare nel minor tempo possibile la parola che voi direte. Vince il gruppo che ne raccoglie il maggior numero nel minor tempo.
Esempi di parole:
Giorgio, maghi, ciao, coro, governo, cena, giacca, casa, gentile, scusa, gusto, chiesa, barche, Giulia, ginnastica, gatto, spaghetti.

Tabella delle categorie (modello):

ca	cia	ga	gia
co	cio	go	gio
cu	ciu	gu	giu
chi	ci	ghi	gi
che	ce	ghe	ge

Le vocali

Obiettivo: esercizi di orientamento per una pronuncia meglio articolata delle vocali e in particolare della /w/ nel gruppo -QU- /kw/, fondamentale per formulare molte domande, ad es. *Quanto costa?*

Vocali "aperte", vocali "chiuse"

Tempo: 15 minuti.

Descrizione: prima di iniziare chiedete agli studenti quante sono le vocali in italiano e chiarite che sono 7 anche se corrispondono a 5 lettere, per la presenza della -E- e della -O- aperte e chiuse. A questo proposito va detto che se è vero che ci sono molte varianti regionali nella pronuncia delle due vocali in questione, resta il fatto che, in una serie di parole fondamentali, il grado di apertura ha un valore funzionale riconosciuto da quasi tutti gli italiani ed è bene quindi presentare questa realtà agli studenti. Inoltre gli esercizi sulle vocali servono in generale a "correggere" le pronunce eccessivamente chiuse o aperte dovute a una base articolatoria estranea all'italiano (es. /o/ molto chiusa dei germanofoni).

Esercizio di riconoscimento: potete leggere voi le

143

singole frasi e chiedere agli studenti di scriverle nella categoria corrispondente. Come per ogni attività di ascolto, ripetete la lettura almeno tre volte. Se la classe mostra particolari difficoltà, potete facilitare preparando dei bigliettini con le frasi da completare con le vocali mancanti, ad es. *Che giorno .... oggi?* Gli studenti dovranno mettere ogni bigliettino nella categoria giusta della tabella che avrete preparato su un foglio di formato A4 seguendo il modello qui sotto.

Dialoghi: a seguire, potete far lavorare a coppie gli studenti, facendo leggere dei dialoghi sull'esempio di quelli dati qui sotto.

Le sette vocali dell'italiano

A /a/		*la casa*
E aperta /ɛ/		*è giovedì*
E chiusa /e/		*tu e io*
I /i/		*la farmacia*
O aperta /ɔ/		*ho sete*
O chiusa /o/		*carne o pesce*
U /u/		*più*

Lettura dell'insegnante - Frasi

1. Che giorno **è** oggi?
2. Oggi **è** domenica.
3. Martedì **e** mercoledì non posso.
4. **Ho** un appuntamento con il dentista.
5. Martedì **o** giovedì?
6. Ho bisogno di saperlo oggi **o** domani.
7. Appena l'**ho** deciso con il dentista, ti telefono.

Tabella delle categorie (modello):

Vocale aperta	Vocale chiusa
Es. *Che giorno è oggi?*	

Dialoghi da far leggere in coppia:

● Ho fame.
○ Andiamo al bar o al ristorante?
● È tardi. Che ora è?
○ Sono le cinque e un quarto.
● Tu e Maria siete in ritardo.
○ È evidente.
● Dove andiamo, al cinema o a teatro?
○ Scusa, ma ho voglia di stare a casa.

La -U- finale accentata

Descrizione: spiegate che le vocali posteri -I- e -U-

sono le più difficili da pronunciare, perché non sono così definite come -A-, -E-, -O-, ma devono essere comunque molto marcate. Dapprima attivate la vocale -U- con monosillabi, in modo che il suono sia molto definito: fate leggere le parole date qui sotto, poi leggete voi e chiedete di ripetere. Poi chiedete agli studenti, che lavorano sempre a coppie, di ripetere altre parole con la -U- che già conoscono.

Il ritornello di *"Nel blu dipinto di blu"* può completare in modo piacevole l'esercizio. Trascrivete il ritornello, leggetelo insieme, fate anche una lettura ritmica in coro e infine cantatatelo insieme.

Parole: *tu, giù, più, su, blu.*

Il grafema -QU-

Descrizione: iniziate con un esercizio di **riconoscimento del suono** (frasi A) e chiedete di segnare il numero delle frasi che contengono -QU-, tra quelle elencate sotto che leggerete dicendo prima chiaramente il numero della frase. Alla fine si controllano i numeri delle frasi di ogni gruppo e si elegge il vincitore.

Continuate con un esercizio di **ripetizione** (frasi B): fate leggere le frasi in coppia, poi leggete voi e chiedete di ripetere.

Per concludere fate fare un esercizio di **produzione:** sempre in coppia, gli studenti formulano tre o quattro domande con *Quale? - Quando? - Quanto?*

Tempo: 25 minuti.

Frasi A: (lettura dell'insegnante)
Gli studenti ascoltano le frasi e indicano dove sentono il suono /kw/ che corrisponde a -QU-.

1. Suono la chitarra.
2. Quale compro?
3. Quando andiamo al bar?
4. È tuo.
5. Quant'è?
6. Guarda!
7. Sei curioso!

Frasi B: (gli studenti a coppie)
Gli studenti leggono, ripetono e poi ascoltano l'insegnante e ripetono ancora.

Quando andiamo a mangiare fuori?
Qual è la fermata del 44?
Quanto costa?
È questa Piazza Mazzini?
Questo ragazzo è abbastanza curioso.
Qui non torno più.
Se non sono io, sei tu.
Comunque questa piazza a Lucca non è quadrata.
Posso vedere questo pullover blu?

I grafemi -CHIA-, -CHIO-, -CHIU-, -CHIE-

Obiettivo: attivare i suoni /kja/, /kjo/, /kiu/, /kje/.

Descrizione: potete fare esercitare gli studenti per esempio sulla parola *chiacchiera* chiedendo loro di segmentarla in sole tre sillabe per abituarli alla pronuncia dei dittonghi: *chia - chie - ra.*
In seguito proponete un'esercitazione con il lessico imparato in una delle unità del manuale, per esempio la 4 *"Al ristorante"*. Per aiutarli potete portare dei disegni o delle fotografie di oggetti che nominerete, e far abbinare la parola all'oggetto. Gli studenti devono avere a disposizione una lista scritta delle parole o delle frasi, come quella che trovate qui sotto. Formate dei gruppi di tre o quattro persone, come se fossero tavoli del ristorante, e a turno fate "chiamare" gli oggetti agli studenti. Voi siete il cameriere, che darà un punto solo a chi pronuncerà la parola in modo soddisfacente.

Tempo: 20 minuti.

Parole e frasi:
Poche chiacchiere!
Un caffè macchiato.
Il resto mancia.
Whisky con ghiaccio.
Un cucchiaio da brodo.
Un cucchiaino da caffè.
Una forchetta.
Un bicchiere di vino.
Un bicchierino di grappa.
La ciliegia sulla torta.
L'arancia di Sicilia.
La cioccolata calda.
Ciao, hai tu le chiavi?
Maccheroni alla Norma.
Una sambuca con un chicco di caffè.
In cucina ci sono le mosche!
C'è il parcheggio?
Chiamo per cena!

I grafemi -GLI- e -GN-

Obiettivo: fare articolare il suono /ʎ/ (GLI) in contrapposizione al suono /ɲ/ (GN).

Descrizione: a coppie gli studenti leggono le due serie di parole. Spiegate che la posizione della lingua per entrambi i suoni è quasi uguale: per aiutarsi, all'inizio, si può posizionare la punta della lingua a contatto con i denti inferiori, e inarcare il dorso della lingua verso il palato (mostrate la posizione della lingua usando la vostra mano: le dita sono la punta e il dorso è il dorso della lingua). Spiegate che a contrazione per pronunciare i due suoni invece avviene in due parti diverse del cavo orale: per /ɲ/ (GN) "spingendo nel naso" e per /ʎ/ (GLI) "spingendo in basso": per aiutarsi, all'inizio, si può provare a pronunciare il suono chiudendo il naso con le mani a pinza (serve a sensibilizzare la parte nasale della cavità). Infine fate leggere le frasi che contengono i suoni in contrapposizione, sempre a coppie.

Tempo: 10 minuti.

Serie di parole:
Spegni, bagno, segno, compagno, legno, sogno, gnocchi.
Fogli, figlio, maglia, tagliare, tovaglia, aglio, sveglia.

Suoni in contrapposizione:
Spegni la sveglia.
Gli gnocchi senza aglio.
Meglio gli gnocchi.
Bisogna sbagliare.
La maglia è in bagno.
Il foglio del compagno.
Taglia il legno.
La tovaglia ha un segno.

Lessico e comunicazione

1 *Completate i seguenti dialoghi con il "tu" informale.*

1. ● ....

○ Bene, grazie, Marcella. E tu? Sei in gran forma!

● ....

2. ● Ciao, Anna, come va?

○ ....

● Eh insomma, non troppo bene oggi.

3. ● Giovanni, ciao! Come stai?

○ ....

● Anch'io.

2 *Completate i seguenti dialoghi con il "Lei" formale.*

1. ○ Buongiorno, Signor Rossi. Come va?

● ....

○ Anch'io sto bene! Grazie!

2. ● ....

○ Non molto bene. Ho mal di testa.

● ....

3 *Come si chiamano? Scrivete sotto ogni immagine il nome giusto.*
cappuccino – cornetto – acqua minerale – spremuta d'arancia – aperitivo

1. .... **2.** .... **3.** .... **4.** .... **5.** ....

4 *Collegate le domande con le risposte esatte.*

1. Sei inglese?   **a.** Sì, di Roma.
2. Come ti chiami?   **b.** Sì, di New York.
3. Sei americana?   **c.** Sono giapponese, di Tokyo.
4. Di dove sei?   **d.** No, sono americano.
5. Sei italiano?   **e.** Luca.

5 *Mettete in ordine le frasi.*

1. è - Maria - brasiliana ....

2. tu - Monaco - di - sei - ? ....

3. fame - ho - io. ....

4. abbiamo - euro - dodici - noi ....

5. Amburgo - Tobias - è - di ....

Strutture

1 *Completate il testo con il verbo* **prendere** *e gli articoli indeterminativi* **un, una, uno** *o* **un'**.

● Cosa ....?

○ .... spremuta d'arancia e .... pizza, grazie. E tu?

● Io ....caffè e .... cornetto. E tu Marta?

○ Io .... cappuccino e .... pasta. E anche .... acqua minerale.

2 *Completate le frasi.*

1. Il telefonino è ross.......... .

2. I quadri sono bell.......... .

3. Il ragazzo .... bello.

4. .... ragazzi sono biondi.

5. Le sedie .... gialle.

6. .... libri sono interessanti.

7. La donna è carin.......... .

8. Lo studente .... bravo.

9. .... borsa è grande.

10. .... pizze sono buone.

3 *Trasformate i verbi al presente indicativo.*

1. Keiko (studiare) .... italiano perché lei e il marito (pensare) .... di aprire

un negozio di abbigliamento in Italia.

2. La madre di Ryan (essere) .... italiana e i suoi fratelli (vivere) .... a Taranto, in Puglia.

3. Per Marta l'italiano (essere) .... una lingua bellissima e (sentire) .... l'Italia molto

vicina al suo paese.

4. Tobias (passare) .... le vacanze in Italia ogni anno e (avere) .... molti amici italiani.

4 *Coniugate i verbi e completate le frasi con gli articoli determinativi.*

1. Francesco (mangiare) .... pizza.

2. (Io/telefonare) .... con .... telefonino.

3. (Noi/leggere) .... libri d'avventura.

4. (Lei/partire) .... per .... Francia.

5. Gli studenti (parlare) .... con .... ragazze inglesi.

6. Le ragazze (comprare) .... borse più belle.

7. (Voi/preferire) .... cappuccino al caffè?

5 *Trasformate i verbi al presente indicativo e inseriteli nello spazio giusto.*

arrivare – incontrare – mangiare – parlare – preferire – prendere – incontrare – prendere – studiare

Marta è nata a Bahia ma .... abitare a San Paolo dove .... filosofia. La mattina

.... l'autobus per andare all'Università. Sull'autobus .... sempre la sua amica Cristina e

.... di tutto, di ragazzi, di esami e di feste. Quando .... all'università, ... un

caffè al bar. Nella pausa .... un panino e .... gli amici.

6 *Continuate e completate il dialogo.*

● *Pronto?*

○ *Ciao, sono io. Senti, domani arriva* ....

....

Lessico e comunicazione

1 *Completate con le parole* **grazie mille, sai dirmi, a destra, lontano**.

- Ciao, ... dov'è lo stadio?
- ○ È in via Mazzini, prendi la prima strada a sinistra e dopo circa 50 metri gira ....
- È .... ?
- ○ No, sono dieci minuti a piedi.
- OK, ...
- ○ Prego, figurati.

2 *Completate il racconto con le parole date e rispondete alla domanda finale.*
giacche – commessi – prezzi – borse

È un negozio fantastico! Ci sono .... di tutti i tipi, ... e accessori modernissimi. È bello provare tutto quello che c'è e poi ho anche la possibilità di non comprare niente e, se devo, i .... sono buoni. Ma la cosa più interessante sono i .... che lavorano in quel negozio, così simpatici e così carini. Io posso passare i pomeriggi a provare vestiti!

In quale negozio siamo?

....

3 *Riordinate il dialogo.*

- ☐ Buongiorno, desidera?
- ☐ Certo.
- ☐ Arrivederci.
- ☐ C'è la promozione su queste agende, non sono molto care, ma sono eleganti.
- ☐ E quant'è?
- ☐ Bene. Posso pagare con la carta di credito?
- ☐ Accidenti, è un po' cara.
- ☐ Grazie mille, arrivederci.
- ☐ 35 Euro.
- ☐ Con lo sconto del 30% sono 19 Euro e 50.
- ☐ Buongiorno. Mi sa dire quanto costa l'agenda in vetrina?

4 *Collegate tra loro le indicazioni di significato contrario.*

davanti a / di fronte a   a sinistra di

vicino a / accanto a   dietro a

a destra di   lontano da

5 *Il cameriere è un po' confuso. Cambiate le parole sottolineate e fate un po' d'ordine.*

Prego, signori, va bene questo tavolo <u>vicino alla</u> .... cucina e <u>lontano dalla</u> .... finestra?

Potete scegliere il menù turistico con penne <u>all'inglese</u> ...., scaloppine

<u>all'arrabbiata</u> ...., e zuppa <u>al limone</u> ....

Strutture

1 *Completate il dialogo.*

● (tu / potere) .... telefonare a Marco?

○ No, non (io / potere) ...., (io / dovere) .... lavorare tutto il giorno.

● (tu / sapere) .... dirmi se oggi Marco è a casa?

○ (lui / dovere) .... stare a casa. (lui / dovere) .... studiare, perché ha un esame lunedì.

● E (lui / potere) .... venire al cinema con me stasera?

○ Senti, io non sono Marco. (tu / potere) .... anche telefonare direttamente, no?

2 *Trovate gli errori e scrivete accanto le frasi corrette.*

1. Il cinema è di fronte di casa mia.   ....

2. La piazza è davanti di una chiesa barocca.   ....

3. La pasticceria è a sinistra a un'edicola.   ....

4. Il supermercato è in fondo di via Mazzini.   ....

5. La biblioteca è vicino di un pub irlandese.   ....

3 *Completate il testo con i pronomi.*

La bruschetta
Ingredienti: 4 fette di pane, due pomodori, aglio, olio e basilico.

Prendi una <u>fetta</u> di pane e .... metti sul fuoco. Quando .... vedi un po' marrone (ma non troppo!) prendi la <u>fetta</u> e .... condisci con olio e aglio (ma poco!). Fai così con le altre fette di pane. Poi prendi <u>i pomodori</u>, ... tagli piccoli piccoli e .... condisci con olio e basilico (fresco). Poi prendi <u>la salsa</u> e .... metti sulle fette di pane.

4 *Completate e coniugate i verbi.*

1. Come (stare) .... la tua amica di Berlino?

2. Non (tu / potere) .... arrivare sempre in ritardo.

3. Questa settimana Marco (fare) .... un viaggio in Scozia.

4. Non (io / sapere) .... decidere. (io / prendere) .... la maglia nera o la blu?

5. Quanto tempo (tu / stare) .... in vacanza?

6. Signora, (potere) .... dirmi che ore sono?

7. Domenica (noi / fare) .... un bel bagno al mare.

8. I ragazzi (dovere) .... studiare per l'esame.

9. Cosa (voi / fare) .... stasera?

10. Giorgia (sapere) .... suonare il sasssofono.

5 *Completate con le preposizioni.*

1. Vado .... Milano.

2. Andiamo .... Stefano.

3. Keiko è .... treno.

4. Carlo è .... bar.

5. .... autobus fa molto caldo.

6. Questa sera andiamo .... pizzeria.

Test – Unità 5 e 6

Lessico e comunicazione

1 *Completate con i nomi giusti secondo il modello nell'esempio.*

Esempio: *Il fratello di mio padre è* **mio zio.**

1. Il padre di mio padre è ....
2. La sorella di mia madre è ....
3. Il figlio di mia madre è ....
4. I figli di mio zio sono ....
5. Il figlio di mio figlio è ....
6. Le figlie di mia madre sono ....
7. Mio padre e mia madre sono ....
8. Mia nonna e mio nonno sono ....

2 *Rispondete alle domande con le indicazioni di frequenza e, dove necessario, con* **ci.**

Esempio: *Vai spesso in biblioteca?*
Vado **sempre/qualche volta/raramente/spesso** *in biblioteca.* **Non** *vado* **mai** *in biblioteca.*
E con chi **ci** *vai?* **Ci** *vado da sola o con i compagni d'università.*

1. Fai spesso la doccia? ....
2. Fai spesso rafting? ....
3. Prendi spesso il sole? ....
4. Mangi spesso al ristorante? ....
5. Fai spesso alpinismo? ....
6. Vai spesso al cinema? ....   Con chi ci vai? ....
7. Visiti spesso i musei? ....   Con chi ci vai? ....
8. Vai spesso a cavallo? ....   Con chi ci vai? ....
9. Vai spesso in montagna ? ....   Con chi ci vai? ....
10. Vai spesso al mare? ....   Con chi ci vai? ....

3 *Descrivete la vostra vacanza ideale per rilassarvi e quella ideale per divertirvi.*

....
....
....

4 *Descrivete la vostra casa.*

....
....
....

5 *Qual è stata la vostra vacanza più bella e quale quella più brutta? Perché?*

....
....
....

Strutture

1 *Completate con i verbi al presente.*
andare – fare – alzarsi – addormentarsi – uscire – vestirsi – svegliarsi – fare

Durante le vacanze Pietro .... dopo le nove, ... un bagno rilassante, ... con calma, ... una bella colazione e legge il giornale. Verso le dieci e mezza .... per andare al mare. Qualche volta .... verso le undici, perché spesso .... in discoteca, torna a casa molto tardi e .... alle due o alle tre di notte.

2 *Completate con gli aggettivi possessivi e l'articolo quando è necessario.*

1. Se vieni con me. Ti accompagno a vedere .... nuovo appartamento.

2. Claudia non viene alla festa perché .... ragazzo sta male.

3. Paolo, come sta .... madre? Ho saputo che è all'ospedale.

4. Giulio e Maria sono .... nonni, cioè i genitori di .... padre.

5. Giorgio e Giovanna sono alla stazione: aspettano .... figli, Luca e Maria.

6. Ragazzi, quando c'è .... ultimo esame?

3 *Completate le frasi con la forma corretta del presente indicativo.*

1. Lei, quale vino (volere) .... ? Io e Marcella (preferire) .... il vino rosso.

2. Noi non (potere) .... venire perché (dovere) .... finire di studiare.

3. Io (andare) .... a casa; (volere) .... vedere un bel film. (tu volere) .... venire con me?

4. Quando noi (fare) .... i compiti, (bere) .... sempre molto caffè.

5. I ragazzi (uscire) .... più tardi.

6. Come (stare) .... i genitori di Luca?

7. Quando (venire, voi) .... a casa mia?

8. I bambini (mettersi) .... sempre la giacca quando (andare) .... fuori.

9. ● (Lei sapere) .... a che ora (partire) .... l'autobus per Roma?

   ○ Ci sono due autobus che (partire) .... fra 15 minuti.

4 *Completate con i participi passati.*

1. Sei (andare) .... dal dottore?

2. Marco ha (vendere) .... il suo appartamento.

3. Voi siete (tornare) .... tardi?

4. Io e Bruna abbiamo (visitare) .... le più belle città d'arte in Toscana.

5. Io non sono mai (salire) .... sulla torre di Pisa.

6. Francesco e Sara non hanno (avere) .... tempo per telefonare.

5 *Completate con i participi passati.*
fatto – prestato – avuto – perso – successa

● Cosa hai .... ? Sembra che hai .... dei problemi.

○ Problemi? È .... una catastrofe! Ho .... la mia macchina a Claudia.

   Lei ha .... le chiavi della macchina. Non le trova più!

Lessico e comunicazione

1 *Che cos'è?*

1. Lo compro per viaggiare in treno o in aereo. ....

2. La prenoto in albergo singola, matrimoniale o doppia. ....

3. Lo prendo in stazione e ha la prima e la seconda classe. ....

4. Sul treno mi piace vicino al finestrino. ....

2 *Rispondete alle domande e specificate il colore e il materiale dei vestiti.*

1. Vai in montagna: cosa metti in valigia?

....

2. Vai al mare: cosa devi portare con te?

....

3. Vai a visitare una città d'arte: cosa metti in borsa?

....

3 *Quali sono i vostri hobby? Li praticate spesso?*

Esempio: *Mi piace leggere sempre quando sono in vacanza, ma quando lavoro ho tempo solo una volta al mese per passare un po' di tempo a leggere. Mi piace anche andare qualche volta a teatro.*

....

....

4 *Rispondete alle domande.*

1. Da piccolo che cosa facevi in estate? Andavi in vacanza in albergo?

....

....

2. E che cosa facevi in inverno? Praticavi qualche sport particolare?

....

....

3. Che cosa ti piaceva di più fare in primavera? C'era una festa che ti piaceva particolarmente?

....

....

4. E che cosa in autunno? Con quale tempo ti piaceva uscire?

....

....

5 *Provate a descrivere con circa 60 parole i momenti importanti della vostra vita.*

....

....

Strutture

1 *Completate con* **essere** *o* **avere**.

Maria .... andata al bar e .... mangiato un panino. Lì .... incontrato Matteo e insieme ....
tornati all'Università per la lezione del pomeriggio. Dopo Maria .... andata in biblioteca e ....
studiato per due ore. Non .... tornata a casa: .... telefonato a Monica e .... andate al cinema.

2 *Ecco che cosa fa in vacanza Filippo. Leggete e continuate il racconto.*

Tutti i giorni si alza alle 9.00. Si fa la doccia, si fa la barba e si veste con abiti leggeri. Poi si prepara un caffè e fa colazione. Dopo si lava i denti, si pettina e si prepara la borsa da spiaggia. Prima di uscire si guarda allo specchio. Dopo si mette gli occhiali da sole e uno strano cappello di paglia. Sulla spiaggia si sdraia al sole sul lettino. Si guarda intorno per vedere gli altri bagnanti e ....
....

Ora trasformate al passato prossimo.
Oggi Filippo si è alzato alle 9.00. Si è fatto la doccia, ...
....

3 *Completate il racconto con i verbi all'imperfetto.*

Quando (io, essere) .... piccola, nei fine settimana (io, andare) .... sempre con la mia
famiglia in montagna. (Noi, fare) .... spesso lunghe passeggiate. La più lunga (essere) ....
per arrivare ad un piccolo lago, ma questa passeggiata (essere) .... molto bella e noi (andare)
.... al lago due o tre volte all'anno. D'estate ci (piacere) .... fermarci lungo la strada e
(noi, raccogliere) .... i frutti di bosco. (Noi, arrivare) .... al lago stanchi, (noi, prendere)
.... il sole e (noi, giocare) .... a carte. Ma dopo un po' (noi, giocare) .... a
pallavolo e (noi, andare) .... a vedere se l'acqua (essere) .... abbastanza calda per fare il
bagno. Io (nuotare) .... poco, ma con gli altri (io, stare) .... in acqua a giocare con il
pallone. Dopo il bagno i bambini (avere) .... sempre molta fame e (noi, mangiare) i
panini e un po' di cioccolato. Come (essere) .... faticosa la strada per tornare a casa!
Appena arrivati a casa, noi (lavarsi) .... e (noi, andare) .... subito a letto.

4 *Rispondete con i pronomi diretti e il verbo al passato prossimo.*

1. Chi ha incontrato Martina? - .... io, perché?
2. Quando hai prenotato l'albergo? - .... due giorni fa.
3. Avete salutato i nonni? - Sì, certo che .... !
4. Sai, se Carla ha comprato le scarpe? - Sì, ... ieri.

5 *Rispondete con i pronomi indiretti e il verbo al presente.*

1. Quando telefoni a Tobias? .... domani.
2. Che cosa mandi a Marta? .... una cartolina.
3. Che cosa spedisci a Keiko? .... una lettera.
4. Che cosa scrivi a Luca? .... un fax.
5. Che cosa offrite ai vostri amici? .... un caffè.
6. Che cosa chiedi a Maria? .... una penna.

Test – Unità 9 e 10

Lessico e comunicazione

1 *Completate il seguente dialogo.*

● ....

○ È un'ottima idea! E chi invitiamo?

● ....

○ Bene. E dove?

● ....

○ Che ne dici di sabato sera?

● ....

○ Sì, volentieri. E chi organizza la musica?

● ....

○ A sabato.

2 *Descrivete qual è il vostro più grande pregio e quale il vostro più grande difetto. Perché?*

....

....

....

....

3 *Scegliete un regalo ironico per le seguenti persone.*
un portafoglio – un'agenda – una sveglia – un naso lungo – un computer

1. un distratto   ....

2. un avaro   ....

3. un pigro   ....

4. un bugiardo   ....

5. un ordinato   ....

4 *State organizzando la festa. Dove comprate questi regali?*

1. una torta   ....

2. un libro   ....

3. un lettore DVD   ....

4. un profumo   ....

5. un braccialetto d'oro   ....

6. un cesto di frutta esotica   ....

7. l'abbonamento a un giornale specializzato   ....

5 *Qual è il vostro libro preferito? Perché?*
Di che cosa parla? Raccontate tutto in circa 60 parole.

....

....

....

Strutture

1 *Completate le frasi.*

1. Non è sveglio, sta ....

2. Ma allora bevi alcolici, stai .... una birra!

3. Mauro e Gianna stanno .... un libro.

4. Le ragazze in discoteca stanno .... da ore.

5. Cosa fate? State .... la TV?

2 **Ci o ne?**

1. ○ Si mangia bene al ristorante "Da Maria"? ● Benissimo! Io .... vado sempre.

2. ○ Quanti regali ha comprato Germana? ● .... ha comprati molti.

3. ○ Andate a Capri a luglio? ● No, ... andiamo in agosto.

4. ○ Con chi va Luca in discoteca? ● .... va con i suoi amici.

5. ○ Quante magliette compri? ● ....compro due. Una bianca e una rossa.

6. ○ Conosci Parigi? ● Sì, ... vado spesso.

3 *Rispondete alle domande.*

1. ● Hai lavato la macchina? ○ Sì, ... ieri mattina.

2. ● Dove avete comprato quelle scarpe? ○ .... a Bologna.

3. ● Dove hanno conosciuto Tobias? ○ .... a scuola.

4. ● Hai chiamato Luca? ○ Sì, ... ieri.

5. ● Avete prenotato l'albergo? ○ Si, ... la settimana scorsa.

4 *Rispondete alle domande con i pronomi indiretti.*

1. Che cosa mi regali per il mio compleanno? ....

2. Che cosa dai al bambino? ....

3. Marco, quando ti posso telefonare? ....

4. Cosa Le posso dare? ....

5. Quale storia vi posso raccontare? ....

6. Cosa spedisci al ragionier Rossi, una e-mail o un fax? ....

5 *Completate il racconto di Carlo con i verbi mancanti.*

Devi credermi, Rossella, non è facile abitare con Andrea. Quando (noi, abitare) .... insieme, facevamo le stesse cose, ma mai allo stesso tempo. Mentre io (rilassarsi) ...., lui aveva mille cose da fare e mi (lui, disturbare) .... Ma quando io (volere) .... stare un po' in compagnia, allora lui diceva che era stanco e non (volere) .... gente a casa. E non parliamo delle cose pratiche: io (pulire) .... la casa e intanto lui (cucinare) .... e (sporcare) .... tutta la cucina. Oppure lui (pulire) .... il bagno proprio quando io (dovere) .... fare la doccia. Da quando ho la casa tutta per me sto benissimo.

Soluzioni

Libro dello studente – Intervalli

Intervallo 1, pag. 32
Caccia al saluto!: Orizzontali: diciassette, uno, tre, sette, sei, dodici, undici, otto, nove, cinque, quindici
Verticali: due, venti, dieci. **Saluto:** *Buona sera*
L'immagine nascosta: appare un gondoliere sulla gondola (v. sequenza numeri a pag. 138 del manuale).
Chi è?: Luca, Carlo, Marta, Carlo

Intervallo 2, pag. 54
Il labirinto: Dritto fino in fondo, poi a destra. Alla prima strada a sinistra, a sinistra alla seconda, poi ancora a sinistra alla seconda. Dritto fino alla seconda, in fondo, poi a destra. Poi sempre dritto fino all'uscita.
Positivo o negativo?: 1. sporco, 2. lontano, 3. freddo, 4. difficile, 5. dopo, 6. tardi, 7. cattivo, 8. male.
(Il contrario di simpatico è) *antipatico*.
Perché?: 1. Perché c'è una festa. 2. Perché prima va a comprare qualcosa. 3. Perché è snob./Perché il ristorante non è buono. 4. Perché preferisce restare leggera.
In giro per l'Italia: 2. Milano – Duomo, 10. Siena – Piazza del Campo, 12. Taormina – Teatro Greco, 19. Verona – Arena, 21 Torino – Mole Antonelliana

Intervallo 3, pag. 76
Il quiz: 1. da Giulia, 2. in un negozio di abbigliamento, 3. in discoteca, 4. al bar, 5. al mare, 6. al supermercato, 7. in cucina, 8. sulla scrivania, 9. a Capri, 10. le nozze d'argento, 11. martedì.
(La frase di auguri è) *Cento di questi giorni*(!)

Intervallo 4, pag. 98
La valigia di Teresa: 1. camicetta, 2. maglietta, 3. blu, 4. abito, 5. di scarpe, 6. marrone, 7. costume, 8. cappello, 9. sandali
Chi l'ha detto?: 1. Carlo, al telefono con Luca. 2. Carlo, a Maria alla fermata dell'autobus. 3. Giorgio, all'impiegata dell'agenzia viaggi.

Libro dello studente – Test

Test: Livello A1 (Unità 1 – 4), pag. 192
1 di, nuova, in, abito, alla, svedesi, simpatiche, frequento, ho, italiani, in, faccio, un, mi piace, vado, gli, italiani, piacciono, del, li, ci sono, si chiama, ha, biondi, capisce
2 **Dialogo 1:** 1. sì, 2. no/non lo so, 3. no, 4. sì, 5. no, 6. no, **Dialogo 2:** 7. no/non lo so, 8. no, 9. no, 10. sì, 11. sì, 12. non lo so
3 **Parte 1:** 1. a destra, sempre dritto, a sinistra, la stazione, 2. 65 euro, 87 euro, **Parte 2:** 3. una pasta e un caffè, 4. Peter è svizzero, John viene da Londra, 5. è medico, arriva oggi pomeriggio alle quattro meno un quarto, Paola è la figlia
4 1. Una bella città, 2. Nuove abitudini alimentari, 3. Un messaggio
5 Cognome: Smith, Nome: Frank, Età: 34 anni, Professione: impiegato, Indirizzo: Londra, 23 Vauxhall Bridge Road, Telefono: +440277265896, E-mail: FraSmi@ntlword.com, Altre lingue: sì, inglese e tedesco

Test: Livello A2 (Unità 5 – 10), pag. 194
1 ti, ho, la, da, balcone, al, a, da, sono, svegliati, hanno, a, è arrabbiata, abbiamo, lavorando, a, di, scherzando, eri, caldo, vestire, cravatta, l'aria, sono, abbiamo, con, li, visti, come, gli, simpatico, timida, ti, mi
2 1. no/non lo so, 2. sì, 3. sì, 4. no, 5. sì, 6. no
3 **Parte 1:** 1. completo giacca e pantaloni neri, di seta verde, giacca rosa, 2. da quanto tempo, da più di dieci anni, 3. 7 novembre, nuvoloso, di nebbia, variabile, sereno, poco nuvoloso, vento forte, **Parte 2:** 4. mezzo chilo di patate, 5. un libro di informazioni sull'attualità, il tedesco, 6. perché è stanca morta, resta a casa a guardare la TV, verso le 9, 9 e 30
4 1. Pompei fra passato e presente, 2. Tutti svegli fino a mattina, 3. La parata storica delle gondole
5 A. un appartamento in città: due camere e servizi
B. 1. per due giorni, 2. una camera doppia, 3. sì, 4. (soluzione possibile) Oggetto: informazioni per una camera doppia. Gentile signora Bianchini, una camera doppia con bagno costa 80 euro al giorno, compresa la colazione. Può pagare con tutte le carte di credito. Può confermare la prenotazione con un fax. Grazie e cordiali saluti.
C. casa di montagna, al lago, Sperlonga, Porto San Giorgio
6 A. Intercity 1340 da Roma per Milano, in partenza alle 15.50, ferma a Parma, Piacenza, Lodi, Milano.
B. 1. *Decorazioni su stoffa* – Tempo libero, 2. Italo Calvino, *Se una notte d'inverno un viaggiatore* – Narrativa italiana, 3. *La cucina rapida* – Tempo libero, 4. *Il mostro peloso* – Letteratura per ragazzi

Guida – Esercizi supplementari

Unità 1
1 1. sono, 2. sei, 3. è, 4. è, 5. siamo, 6. siete, 7. siete, 8. sono
2 **il:** panino, caffè, centesimo, latte, cacao, vino; **la:** pizzetta, crema, cioccolata, panna, birra, acqua
3 (soluzione possibile) Come ti chiami? Sei straniera/Sei americana, vero? Di dove sei?

4 1. d, 2. c, 3. b, 4. a

5 (soluzione possibile) Io prendo la pasta/una pasta/un caffè. Sally è di New York. Luca sta bene. Noi siamo di Roma. Lisa e Marcella sono di Roma.

6 1. abbiamo, 2. hanno, 3. avete, 4. abbiamo, 5. ha, 6. hanno, 7. ho, 8. avete, 9. hai, 10. ha

7 1. 2, due, 2. 11, undici, 3. 5, cinque, 4. 4, quattro, 5. 17, diciassette, 6. 6, sei, 7. 13, tredici, 8. 2, due

Unità 2

1 1. il, 2. l', 3. il, lo, 4. lo, 5. l', 6. la

2 1. giapponesi, 2. americani, 3. nuovo, 4. sposati, 5. bella

3 penna: la penna, le penne, libro: il libro, i libri, ingegnere: l'ingegnere, gli ingegneri, appartamento: l'appartamento, gli appartamenti, strada: la strada, le strade, donna: la donna, le donne, telefonino: il telefonino, i telefonini, stazione: la stazione, le stazioni

4 1. mangi, 2. parlano, 3. capisce, 4. scriviamo, 5. sentite, 6. arrivano, 7. rimaniamo, 8. parto, 9. cambiate, 10. preferisci

5 1. mangia, 2. gioco, 3. suona, 4. leggiamo, 5. impara, 6. prende

6 sono, ha, chiama, arriva, suona, apre, saluta, sono, desideri, preferisci, preferisco, ceniamo, abbiamo

7 1. a, fiorentino, 2. in, italiano, 3. in, francese, 4. in, giapponese, 5. a, romana, 6. in, irlandese, 7. a, bolognese, 8. in, scozzese, 9. in, tedesco, 10. a, napoletana

8 1. a, per, 2. di, a, 3. in, a, 4. con, per, 5. a, in, 6. in/dalla, 7. in, con, 8. di/a

Unità 3

1 Ragazza: 1 – Devi andare sempre dritto, giri a sinistra e poi a destra e dopo duecento metri trovi la Piazza. È un po' complicato. 2 – Sì, con l'autobus circa dieci minuti. 3 – È di fronte. Lì, vicino alla libreria. 4 – Ogni dieci minuti. 5 – All'edicola o dal tabaccaio. 6 – Di niente. Figurati!

2 c'è, c'è, ci sono, c'è, ci sono, c'è, ci sono

3 vieni, andate, andiamo, viene, vengo

4 puoi, devi, può, so, devo, posso

5 l'accendino – in tabaccheria, la gonna – in un negozio di abbigliamento, una torta alla crema – in pasticceria, un caffè – al bar, un biglietto dell'autobus – all'edicola/in tabaccheria, un'agenda e una penna – in cartoleria

6 Bevo un cappuccino – Sono le sette e mezza; Vado al cinema – Sono le venti e trenta; Mangio gli spaghetti. – Sono le tredici e cinque; Vado in discoteca – Sono le ventidue e venti; Finisco di lavorare. – Sono le sedici e quaranta.

7 1. da, è, 2. dalla, spagnolo, 3. da, di, 4. dal, giap-ponese, 5. dagli, americano, 6. da, è, 7. da, sono, 8. dalla, francesi, 9. dal, siamo

8 1. Massimo viene da Bologna/è di Bologna. 4. Adriano viene dal Brasile. 6. Siamo in Giappone, a Tokyo. 7. Domani vado a Parigi. 9. I due studenti giapponesi sono di Osaka. 10. Il Cremlino è a Mosca in Russia.

Unità 4

1 1. b, 2. e, 3. c, 4. d, 5. a

2 1. la, 2. li, 3. li, 4. le, 5. lo

3 li – i rossi, lo – il marsala, la – la crema, li – i bicchieri, la – la crema

4 1. la cena, 2. la colazione, 3. il pranzo

5 1. Sì, lo prendo/No, non lo prendo. 2. Lo regalo alla mia ragazza. 3. La scrivo a Luca. 4. Le mando a Maria e Luisa. 5. Sì, la prendo/No, non la prendo. 6. Lo scrivo alla segretaria. 7. Sì, li studio volentieri/No, non li studio volentieri. 8. Sì, lo conosco/No, non lo conosco.

6 1. piace, 2. piacciono, 3. piacciono, 4. piace, 5. piace, 6. piacciono

7 1. bene, 2. buono, 3. buona, bene, 4. buona, 5. buoni, 6. bene, 7. buone

8 piace, buono, buono, bene, piacciono, male

9 1. dal, 2. dal, 3. in, 4. in, 5. dal, 6. in

10 da, a, da, in, con, dalla, da, al

Unità 5

1 pronto, sono, stai, ti, c'è, tempo, quando, vicino, a

2 mia, tue, tua, tuoi, tue, tuo, tuo, tuoi, tua, tuoi, tuoi

3 1. ti, mi, 2. mi, 3. mi, ti, 4. mi, ti, 5. mi, ti

4 1. ti accompagno, 2. la metto, 3. lo suono, 4. lo so, 5. lo compro, 6. ti amo

5 1. al, a, 2. a, con, 3. a, 4. a, con, 5. a, a, 6. a, per/a

6 1. si pettinano, 2. si fa/ti fai, 3. vi addormentate, 4. ti svegli, 5. mi trucco, 6. si veste

7 mi chiamo, mi alzo, mi lavo, mi vesto, si sveglia, si sveglia, si addormenta

8 camera, periferia, luminosa, bagno, cucina, terrazzo

9 1. mia, 2. suo, 3. mio, 4. suo, 5. i loro, 6. mio, 7. la sua, 8. la sua, 9. i vostri, 10. i miei, 11. la tua, 12. il Suo

Unità 6

1 (soluzione possibile, emisfero nord) 1. in estate, 2. in inverno, 3. in primavera, 4. in primavera, 5. in autunno, 6. in autunno, 7. in inverno, 8. in primavera

2 vuoi, vuole, sempre, voglio, voglio, qualche volta, mai, vogliamo

3 1. non dovete, 2. non potete, 3. non vuoi, 4. non può, 5. non vogliono, 6. non dovete, 7. non vuole, 8. non vuoi, 9. non devono, 10. non potete

4 1. possiamo, 2. posso, 3. dobbiamo, 4. possiamo, dobbiamo, 5. posso, devo, 6. puoi, 7. volete, 8. può

5 1. qualche volta, 2. alcune opere, straordinarie, 3. qualche ragazza bionda, 4. alcune cartoline, 5. qualche italiano, 6. alcune parole, 7. qualche informazione, 8. qualche idea, 9. alcuni problemi, 10. alcuni CD.

6 1. la settimana scorsa, 2. tre giorni fa, 3. ieri, 4. oggi, 5. domani, 6. fra quattro giorni, 7. la settimana prossima

7 1. lavorato, 2. venduto, 3. comprato, 4. dormito, 5. ballato, 6. accompagnato, 7. capito, 8. creduto, 9. incontrato, 10. passato

8 andati, venuti, arrivata, passati, partita, saliti, partiti, arrivati, stati, andati, stati, stato, tornati, passati

Unità 7

1 terzo, ottavo, primo, nono, quinto, secondo

2 attenzione, Signor, oggetto, prenotare, colazione, confermo, credito, saluti

3 1. l'ho comprato, 2. l'ha regalata, 3. le ha prese, 4. li ha trovati, 5. li ha lavati, 6. le hanno mangiate, 7. l'ha guardata, 8. l'abbiamo visitata, 9. l'ha scoperta, 10. le ha spedite

4 1. Natale, 2. San Valentino, 3. Pasqua, 4. Capodanno

5 1. si asciuga, si è asciugata, 2. si sporcano, si sono sporcati, 3. ti alzi, mi sono alzato/a, 4. si fanno, ti sei fatto, 5. ci laviamo, vi siete lavati/e

6 1. piove, 2. fa freddo, 3. fa caldo, 4. c'è il sole, 5. c'è molto vento

7 1. rossa, marrone, 2. verde, bianchi, 3. beige, nera, 4. grigio, 5. blu, 6. rosa, rosa

8 1. Luca ha offerto un caffè a Carlo. 2. Franca ha spento il televisore e è andata a letto. 3. Io ho speso quasi tutti i miei soldi per andare in vacanza in Italia. 4. Nicolò e Carlotta hanno scritto una cartolina agli amici. 5. Ho telefonato a Ryan ma non ha risposto. 6. Abbiamo letto un prospetto informativo.

9 1. acceso, 2. letto, 3. preso, 4. scritto, 5. speso, 6. chiuso

Unità 8

1 1. avevano, 2. abitavo, 3. passavamo, 4. giocava, 5. era, 6. studiavate

2 1. Il treno per Firenze parte dal binario cinque. 2. Bisogna convalidare il biglietto. 3. È vietato attraversare i binari. 4. Il vagone ristorante è in testa al treno. 5. Il treno per Roma viaggia con trenta minuti di ritardo. 6. Sul treno è vietato fumare. 7. Questo treno ferma a Modena?

3 1. prenotazione, 2. supplemento, 3. biglietto, 4. attraversare, sottopassaggio, 5. binario, 6. posto, 7. gettate, 8. ristorante, 9. Buon viaggio!

4 1. sesta classe, 2. scontrino, 3. autobus, 4. metropolitana, 5. tavolo

5 sempre, da quando, da bambino, ogni volta che, da più di dieci anni, ogni fine settimana

6 1. Era un giorno molto freddo. 2. Il mio computer non funzionava. 3. Telefonavate a Marta? 4. La lezione finiva alle quattro. 5. Luca andava sempre in spiaggia.

7 (soluzione possibile) Giocava con Maria sulla spiaggia, faceva il bagno con Anna, mangiava un gelato a casa dei nonni, pescava con il nonno.

8 1. preparava, 2. andava, ci è andato, 3. è andato, passava

9 (soluzione possibile) 1. No, non ci sono mai stato/a. 2. Sì, l'ho vista una volta. 3. Sì, l'ho assaggiato spesso. 4. No, non l'ho mai visitata. 5. Sì, ci sono salito/a una volta.

10 1. Sì, gli piace/No, non gli piace. 2. Sì, gli piace/No, non gli piace. 3. Sì, mi piacciono/No, non mi piacciono. 4. Sì, ci piace/No, non ci piace. 5. Sì, le piace/No, non le piace.

Unità 9

1 1. telefonando, 2. finendo, 3. disturbando, 4. leggendo, 5. lavorando, 6. mettendo, 7. capendo, 8. vedendo, 9. salendo, 10. dicendo

2 (soluzione possibile) 1. Sì, volentieri. Andiamo al bar qui vicino. 2. Professore, può venire a cena con me domani? 3. Andiamo al cinema stasera? 4. Volentieri, ma facciamo domani. 5. No, dai. Stasera sono veramente stanco/a!

3 volevo, voleva, festeggiavo, giocava, era, eravamo

4 1. c, 2. d, 3. e, 4. b, 5. a

5 1. Io e mio fratello ci siamo arrabbiati con il vigile. 2. Carlo e Marta si sono incontrati alla festa. 3. Io mi sono riposata tutto il fine settimana. 4. La sorella di Carlo si è laureata in filosofia. 5. Luca si è svegliato molto tardi. 6. Voi vi siete sposati in chiesa?

6 1. si è svegliato, 2. si è divertita, 3. mi sono riposata, 4. mi sono sposata, 5. si è arrabbiato, 6. vi siete fatti, 7. ci siamo lavati, 8. si è alzato

7 1. l'ho visto, 2. l'ho comprata, 3. l'ho spenta, 4. li ho presi, 5. li ho messi, 6. l'ho ascoltata, 7. le ho sentite, 8. le ho lasciate, 9. l'ho incontrato, 10. l'ho fatta

8 di, a, a, di

Unità 10

1 1. in panetteria, 2. in tabaccheria, 3. in pizzeria, 4. in un negozio di ottica, 5. dal macellaio, 6. in libreria, 7. in edicola, 8. in pasticceria, 9. in un negozio di abbigliamento, 10. in profumeria, 11. in farmacia, 12. in un negozio di calzature

2 litro, pezzo/chilo, chili, etti, chilo, confezione

3 ne, la, lo; ne, ne, lo

4 1. del, 2. dello, 3. delle, 4. degli, 5. dei, 6. del, 7. della

5 1. narrativa, 2. turismo, 3. informatica, 4 tempo libero., 5. gialli, 6. tempo libero, 7. letteratura per ragazzi, 8. filosofia, 9. tempo libero

6 1. Palermo è una città del Sud Italia., 3. L'americano A. G. Bell è riconosciuto generalmente come inventore del telefono. L'italiano A. Meucci aveva ideato un apparecchio equivalente, senza però commercializzarlo. 4. Il calcio è lo sport più popolare in Italia. 7. Roma è diventata la capitale d'Italia nel 1871. La prima capitale dell'Italia Unita è stata Torino. 9. Michelangelo è morto quando era già molto anziano: aveva 89 anni (1475-1564).

7 1. non ho ancora, 2. ho già, 3. avete già/non avete ancora, 4. non hanno ancora, 5. hai già, 6. non abbiamo ancora, 7. siamo già, 8. non ho ancora, 9. ho già, 10. è già

8 1. ci va, 2. ne leggo, 3. ne ho, 4. ci vado, 5. ne voglio

Guida – Test

Unità 1 e 2 – Lessico e comunicazione

1 1. Ciao, come stai?, Sì, grazie. Non c'è male. 2. Io sto bene, grazie. E tu come stai? 3. Bene, grazie. E tu?

2 1. Bene, grazie. E Lei? 2. Buongiorno signora. Come sta?, Mi dispiace.

3 1. spremuta d'arancia, 2. acqua minerale, 3. cornetto 4. aperitivo, 5. cappuccino

4 1. d, 2. e, 3. b, 4. c, 5. a

5 1. Maria è brasiliana. 2. Tu sei di Monaco? 3. Io ho fame. 4. Noi abbiamo dodici euro. 5. Tobias è di Amburgo.

Unità 1 e 2 – Strutture

1 prendi, una, una, prendo un, un, prendo un, una, un'

2 1. rosso, 2. belli, 3. è, 4. i, 5. sono, 6. i, 7. carina, 8. è, 9. la, 10. le

3 1. studia, pensano, 2. è, vivono, 3. è, sente, 4. passa, ha

4 1. mangia la, 2. telefono con il, 3. leggiamo i, 4. parte per la, 5. parlano con le, 6. comprano le, 7. preferite il

5 preferisce, studia, prende, incontra, parlano, arrivano, prendono, mangiano, incontrano

Unità 3 e 4 – Lessico e comunicazione

1 sai dirmi, a destra, lontano, grazie mille

2 giacche, borse, prezzi, commessi. *Siamo in un negozio di abbigliamento.*

3 1 – Buongiorno, desidera? 2 – Buongiorno. Mi sa dire quanto costa l'agenda in vetrina? 3 – 35 Euro. 4 – Accidenti, è un po' cara. 5 – C'è la promozione su queste agende, non sono molto care, ma sono eleganti. 6 – E quant'è? 7 – Con lo sconto del 30% sono 19 Euro e 50. 8 – Bene. Posso pagare con la carta di credito? 9 – Certo. 10 – Grazie mille, arrivederci. 11 Arrivederci.

4 davanti a/di fronte a – dietro a, vicino a/accanto a – lontano da, a destra di – a sinistra di

5 lontano dalla, vicino alla, all'arrabbiata, al limone, all'inglese

Unità 3 e 4 – Strutture

1 puoi, posso, devo, sai, deve, deve, può, puoi

2 1. Il cinema è di fronte a casa mia. 2. La piazza è davanti a una chiesa barocca. 3. La pasticceria è a sinistra di un'edicola. 4. Il supermercato è in fondo a via Mazzini. 5. La biblioteca è vicino a un pub irlandese.

3 la, la, la, li, li, la

4 1. sta, 2. puoi, 3. fa, 4. so, prendo, 5. stai, 6. può, 7. facciamo, 8. devono, 9. fate, 10. sa

5 1. a, 2. da, 3. in, 4. al, 5. in, 6. in

Unità 5 e 6 – Lessico e comunicazione

1 1. mio nonno, 2. mia zia, 3. mio fratello, 4. i miei cugini, 5. mio nipote, 6. le mie sorelle, 7. i miei genitori, 8. i miei nonni

Unità 5 e 6 – Strutture

1 si sveglia/si alza, fa, si veste, fa, esce, si sveglia/si alza, va, si addormenta

2 1. il mio, 2. il suo, 3. tua, 4. i miei/i tuoi, ecc. – mio/tuo, ecc., 5. i loro 6. il vostro

3 1. vuole, preferiamo, 2. possiamo, dobbiamo, 3. vado, voglio, vuoi, 4. facciamo, beviamo, 5. escono, 6. stanno, 7. venite, 8. si mettono, vanno, 9. sa, parte, partono

4 1. andato/a, 2. venduto, 3. tornati/e, 4. visitato, 5. salito/a, 6. avuto

5 fatto, avuto, successa, prestato, perso

Unità 7 e 8 – Lessico e comunicazione

1 1. il biglietto, 2. la camera, 3. il treno, 4. il posto

Unità 7 e 8 – Strutture

1 è, ha, ha, sono, è, ha, è, ha, sono

2 (soluzione possibile) … vede accanto a lui una ragazza straniera molto simpatica, così parla e con lei e poi fanno una passeggiata sulla spiaggia.
(al passato prossimo) … si è fatto la barba e si è vestito con abiti leggeri. Poi si è preparato un caffè e ha fatto colazione. Dopo si è lavato i denti, si è pettinato e si è preparato la borsa da spiaggia. Prima di uscire si è guardato lo spec-

chio. Dopo si è messo gli occhiali da sole e uno strano cappello di paglia. Sulla spiaggia si è sdraiato al sole sul lettino. Si è guardato intorno per vedere gli altri bagnanti e ha visto accanto a lui una ragazza straniera molto simpatica, così ha parlato con lei e poi hanno fatto una passeggiata sulla spiaggia.

3 ero, andavo, facevamo, era, era, andavamo, piaceva, raccoglievamo, arrivavamo, prendevamo, giocavamo, giocavamo, andavamo, era, nuotavo, stavo, avevano, mangiavamo, era, ci lavavamo, andavamo

4 1. l'ho incontrata, 2. l'ho prenotato, 3. li abbiamo salutati, 4. le ha comprate

5 1. gli telefono, 2. le mando, 3. le spedisco, 4. gli scrivo, 5. gli offriamo, 6. le chiedo

Unità 9 e 10 – Lessico e comunicazione

1 (soluzione possibile) - Organizziamo una festa! - Tutti gli amici. - A casa mia, ma non so quando. - Sì, sabato sera va benissimo. Mi aiuti a preparare? - La nostra amica Marta può pensare alla musica. Allora, a sabato.

3 1. un'agenda, 2. un portafoglio, 3. una sveglia, 4. un naso lungo, 5. un computer

4 1. in pasticceria, 2. in libreria, 3. in un negozio di elettrodomestici, 4. in profumeria, 5. in gioielleria, 6. dal fruttivendolo, 7. in edicola

Unità 9 e 10 – Strutture

1 1. dormendo, 2. bevendo, 3. leggendo, 4. ballando, 5. guardando

2 1. ci, 2. ne, 3. ci, 4. ci, 5. ne, 6. ci

3 1. l'ho lavata, 2. le abbiamo comprate, 3. l'hanno conosciuto, 4. l'ho chiamato, 5. l'abbiamo prenotato

4 (soluzione possibile) 1. Ti regalo un orologio. 2. Gli do un gelato. 3. Mi puoi telefonare domani alle 11 e mezza. 4. Mi può dare un aperitivo analcolico. 5. Ci puoi raccontare la storia di Peter Pan. 6. Gli spedisco una e-mail.

5 abitavamo, mi rilassavo, disturbava, volevo, voleva, pulivo, cucinava, sporcava, puliva, dovevo